O CASO DE
CHARLES DEXTER WARD

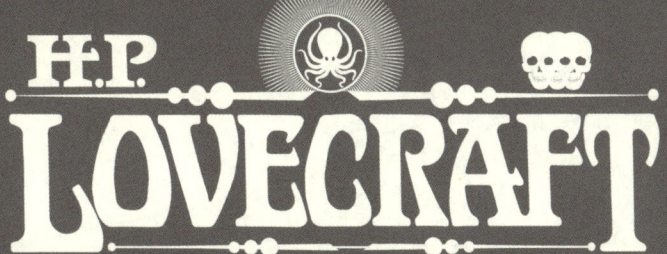

O CASO DE CHARLES DEXTER WARD

1ª EDIÇÃO

Todos os direitos reservados.
Copyright © 2019 by Editora Pandorga

Direção editorial
Silvia Vasconcelos

Produção editorial
Equipe Editora Pandorga

Preparação
Jéssica Gasparini Martins

Revisão
Gabriela Gomes Peres

Tradução
Marsely de Marco

Diagramação
Danielle Fróes

Composição de capa
Lumiar Design

Texto de acordo com as normas do Novo Acordo Ortográfico da Língua Portuguesa
(Decreto Legislativo nº 54, de 1995)

Dados Internacionais de Catalogação na Publicação (CIP)
TuxpedBiblio (São Paulo - SP)

L897c   Lovecraft, H. P.
           O caso de Charles Dexter Ward / H. P. Lovecraft (Tradução de Marsely de Marco). – 1. ed. - São Paulo – SP : Editora Pandorga. Brasil, 2019.
           176 p.; il.; 14x21 cm.

           ISBN 978-85-8442-438-2

           1. Literatura Americana 2. Sobrenatural 3. Suspense 4. Terror I. Título II. Autor

                                                                          CDD 810.863
                                                                          CDU 821.312.9 (73)

Índice para Catálogo Sistemático
1. Literatura americana: Ficção, terror, etc.
2. Romances fantásticos, terror (Estados Unidos).

Ficha catalográfica elaborada pelo bibliotecário Pedro Anizio Gomes CRB-8 8846

2019
IMPRESSO NO BRASIL
PRINTED IN BRAZIL
DIREITOS CEDIDOS PARA ESTA EDIÇÃO À
EDITORA PANDORGA
Rodovia Raposo Tavares, km 22
CEP: 06709015 – Lageadinho – Cotia – SP
Tel. (11) 4612-6404

SUMÁRIO

	APRESENTAÇÃO	7
1	UM RESULTADO E UM PRÓLOGO	11
2	ANTECEDENTE E HORROR	25
3	UMA BUSCA E UMA EVOCAÇÃO	65
4	UMA MUTAÇÃO E UMA LOUCURA.........................	99
5	UM PESADELO E UM CATACLISMO 129

APRESENTAÇÃO

Nesse conto, Lovecraft nos envolve em uma atmosfera crescente de horror cósmico. Através da narrativa gradativa de cenários, personagens e situações reveladoras ou de suspense, faz com que os leitores experimentem exatamente o que cada personagem está sentindo.

Apesar de contada como o relato de um terceiro personagem, estranho à narrativa, a maior parte dos fatos apresentados, bem como as opiniões que nos detalham a história, são contadas pelo Dr. Willett, médico da família Ward. Ele nos conta que Charles, apreciador da arqueologia, descobre um parentesco inusitado com Joseph Curwen, e, investigando essa interessante genealogia, tem acesso às mais aterrorizantes lendas envolvendo seu nome. Charles começa, então, a procurar todo e qualquer indício da existência desse seu antepassado, para melhor compreender o assunto acerca de seu nome e de sua história. No entanto, se antes Ward era movido por curiosidade, seu comportamento e métodos de estudos passaram a ser vistos por todos como sinais inconfundíveis de loucura.

Muitos consideram o conto como uma obra-prima de Lovecraft e certamente você concordará.

Boa leitura.

O CASO DE CHARLES DEXTER WARD

"Os sais essenciais dos animais podem ser preparados e preservados de modo que um homem engenhoso pode ter toda a Arca de Noé em seu próprio escritório e fazer surgir a bela forma de um animal das cinzas deste a seu bel-prazer; e, pelo mesmo método, dos sais essenciais do pó humano, sem criminosa necromancia, um filósofo pode fazer reviver a forma de qualquer ancestral falecido das cinzas em que seu corpo se tornou."

Borellus

1
Um resultado e um prólogo

1.

De um hospital particular para doentes mentais, perto de Providence, em Rhode Island, desapareceu há pouco tempo um indivíduo bastante singular. O paciente atendia pelo nome de Charles Dexter Ward, e a internação foi ordenada pelo sofrido e relutante pai, que viu a moléstia do filho evoluir de uma mera excentricidade para uma mania funesta que envolvia, ao mesmo tempo, a possibilidade de tendências homicidas e uma peculiar alteração no conteúdo observável de seus pensamentos. Os médicos demonstraram perplexidade em relação ao caso, uma vez que apresentava uma estranheza geral de caráter fisiológico associada a alterações psíquicas.

Em primeiro lugar, o paciente tinha uma aparência mais velha do que deveriam sugerir seus meros vinte e seis anos de idade. De fato as perturbações mentais podem acelerar o processo de envelhecimento, porém, o semblante do jovem revestia-se da expressão sutil que, via de regra, caracteriza indivíduos de idade muito avançada. Em segundo lugar, os processos orgânicos indicavam uma anomalia que não encontrava parâmetro em relatos de casos médicos conhecidos. A respiração e a atividade cardíaca apresentavam uma assimetria desconcertante; a voz havia desaparecido, de modo que nenhum som mais rumoroso do que um sussurro podia ser produzido; a digestão era incrivelmente prolongada e reduzida, e as reações neurais aos estímulos-padrão não se assemelhavam a qualquer outro caso relatado até então, fosse normal ou patológico. A pele apresentava frigidez e secura de caráter mórbido, e a estrutura celular dos tecidos parecia exageradamente áspera e frouxa. Até a grande marca de nascença cor de oliva, que ficava do lado direito do quadril, havia desaparecido, e no peito havia se formado uma verruga ou um ponto negro do qual não havia qualquer indício anterior. Em geral, os médicos compartilham a opinião de que os processos fisiológicos de Ward sofreram um retardamento sem precedentes.

O psicológico de Charles Ward também apresentava características únicas. A loucura que o acometia não apresentava afinidade alguma com qualquer outro tipo registrado sequer nos mais novos e abrangentes tratados e aliava-se a uma destreza mental que o teria elevado à condição de gênio se não tivesse conferido formas estranhas e grotescas aos pensamentos. O Dr. Willett, médico da família Ward, afirma que a capacidade mental total do paciente, quando medida em relação a assuntos que não diziam respeito à esfera da insanidade, na verdade havia aumentado desde o surto. A bem dizer, Ward sempre tinha sido um acadêmico e um antiquário; porém, nem mesmo o brilhantismo dos trabalhos incipientes demonstrava a visão e a compreensão prodigiosa evidenciadas durante os últimos exames conduzidos pelos psiquiatras. Na verdade, foi difícil obter autorização legal para a internação do paciente, pois a mente do jovem parecia equilibrada e lúcida ao extremo; foi apenas por conta das evidências fornecidas por terceiros e das inúmeras e aberrantes lacunas de conhecimento em uma inteligência de tamanha envergadura que o levaram a ser confinado. Até o instante do desaparecimento, Charles Ward era um leitor onívoro e um debatedor igualmente talentoso enquanto a voz permitiu; e observadores astutos, incapazes de prever a fuga, afirmaram que não tardaria até que recebesse alta.

Apenas o Dr. Willett, que trouxe Charles Ward ao mundo e acompanhou o crescimento do corpo e da mente do rapaz, parecia assustado ao pensar na futura liberdade do paciente. O médico vivera uma experiência terrível e fizera uma descoberta terrível que não se atrevia a revelar aos colegas céticos. Para dizer a verdade, Willett desponta como um pequeno mistério à parte no que diz respeito a esse caso. Foi a última pessoa a ver o paciente antes da fuga, e retornou da derradeira conversa em um misto de horror e alívio lembrado por muitas pessoas quando a fuga de Ward veio a público três horas mais tarde. A fuga em si é apenas mais um dos mistérios não resolvidos no hospital do Dr. Waite. Uma janela aberta que dá para uma queda livre de quase vinte metros não parece oferecer uma explicação satisfatória, mas não há dúvidas de que o jovem desapareceu após a conversa com Willett. O próprio Willett não tem explicação pública alguma a oferecer, embora pareça demonstrar uma estranha tranquilidade após a fuga. Na verdade, muitos acham que o doutor teria mais a dizer se acreditasse na existência de um número razoável de pessoas dispostas a lhe darem crédito. Encontrou Ward no quarto, mas, logo depois que partiu, os enfermeiros bateram em vão. Quando abriram a porta, o paciente não estava mais lá dentro, e tudo o que encontraram foi a janela aberta com uma brisa gelada de abril a soprar a nuvem de um fino pó azul-acinzentado que quase os sufocou. É verdade que os cachorros tinham uivado pouco tempo antes; mas foi enquanto Willett ainda estava presente, e os animais nada perceberam e não demonstraram nenhum tipo de agitação mais tarde. O pai de Ward foi informado de imediato pelo telefone, mas pareceu mais triste do que surpreso. Quando o Dr. Waite foi dar a notícia pessoalmente, o pai estava conversando com o Dr. Willett, e os dois negaram qualquer tipo de conhecimento ou cumplicidade em relação à fuga. Todas as pistas foram colhidas por meio dos amigos próximos de Willett e do patriarca Ward, e mesmo assim eram fantásticas em demasia para que tivessem algum crédito. Mesmo assim, permanece o fato de que até o presente momento não se encontrou nenhum vestígio do louco desaparecido.

    Charles Ward foi um antiquário desde a infância, e sem dúvida adquiriu esse gosto com a venerável cidade em que cresceu e com as relíquias do passado que enchiam todos os recantos da velha mansão dos pais, situada na Prospect Street, no alto da colina. Com o passar dos anos, a devoção às coisas antigas continuou aumentando, de modo que a história, a geologia e o estudo da arquitetura, do mobiliário e das técnicas de artesanato do período colonial acabaram por expurgar todos os demais assuntos da sua esfera de interesse. É importante mencionar esses gostos ao falar sobre a loucura que o acometeu, pois, embora não funcionem como um cerne, desempenham um papel relevante na manifestação superficial do desvario. As lacunas de conhecimento relatadas pelos psiquiatras estavam todas relacionadas a assuntos modernos, e eram invariavelmente compensadas por um conhecimento igualmente excessivo, porém oculto, a respeito de temas antigos, que surgiu graças aos interrogatórios bem conduzidos e causou a impressão de que o paciente teria sido literalmente transferido para uma época passada graças a um obscuro método de auto-hipnose. O mais estranho era que Ward parecia ter perdido o interesse pelas antiguidades que conhecia tão bem. A dizer pelas aparências, perdera o apreço como resultado da simples familiaridade; e todos os esforços que empreendeu no final estavam sem dúvida relacionados ao aprendizado de fatos corriqueiros da vida moderna que, de maneira total e inequívoca, haviam sido expurgados de suas lembranças. Charles Ward fez o que pôde a fim de ocultar a obliteração, mas era claro para todos aqueles que o observavam que todo o programa de leitura e debate que levava a cabo era marcado por um anseio frenético de embeber-se nos conhecimentos acerca da própria vida e das vivências práticas e culturais do século XX que deviam pertencer-lhe em virtude do nascimento em 1902 e da educação recebida em escolas do nosso tempo. Os psiquiatras passaram a se perguntar como, em vista da ausência da gama de dados absolutamente vitais, o fugitivo poderia lidar com o complexo mundo de hoje; segundo a opinião dominante, estaria "se escondendo" em uma posição discreta e humilde enquanto tentava acumular o mínimo necessário de informações sobre a vida moderna.

O início da loucura de Ward é motivo de disputa entre os especialistas. O Dr. Lyman, eminente médico de Boston, situa o princípio da loucura entre 1919 e 1920, durante o último ano passado na Moses Brown School, quando, de repente, Ward abandonou o estudo do passado para se dedicar às ciências ocultas e recusou-se a entrar para a universidade, alegando que tinha pesquisas individuais muito mais importantes a fazer. A hipótese parece ser corroborada pelos hábitos anômalos que Ward cultivava à época, e em especial pela incessante busca que empreendia em arquivos públicos e cemitérios da cidade por um túmulo cavado em 1771; o túmulo de um antepassado de nome Joseph Curwen, cujos papéis Ward alegava ter encontrado atrás dos painéis de uma antiga casa em Olney Court, em Stamper's Hill, que fora construída e habitada por Curwen. Em linhas gerais, não há como negar que o inverno de 1919-1920 trouxe consigo uma profunda mudança; de súbito, Ward deixou para trás as ambições antiquárias e lançou-se em um desbravamento frenético de assuntos ocultos, tanto em casa como no exterior, que se intercalava apenas com a estranha e persistente busca pelo túmulo do antepassado.

O Dr. Willett, no entanto, discorda substancialmente dessa opinião, e fundamenta o veredito no conhecimento íntimo e contínuo que detinha acerca do paciente, bem como em certas investigações e descobertas pavorosas feitas antes do desaparecimento. Essas investigações e descobertas deixaram marcas profundas; a voz do médico estremece quando as menciona, e a mão fica trêmula ao tentar consigná-las ao papel. Willett admite que a mudança do período 1919-1920 de fato parece marcar o início de uma decadência progressiva que culminou na horrível e inexplicável alienação de 1928; porém, motivado por observações pessoais, acredita ser mister fazer uma distinção mais sutil. Mesmo reconhecendo que o garoto sempre apresentou um temperamento desequilibrado e uma propensão a demonstrar um excesso de suscetibilidade e de entusiasmo em relação aos fenômenos que o cercavam, o Dr. Willett recusa-se a admitir que a alteração incipiente tenha marcado a passagem da sanidade à loucura; segundo acredita, o momento foi sinalizado por uma declaração do próprio Ward, quando afirmou ter feito uma descoberta ou uma redescoberta cujo efeito sobre o pensamento humano seria profundo e prodigioso. A verdadeira loucura, segundo afirma, teria vindo com uma mudança tardia, posterior à descoberta do retrato e dos antigos papéis de Curwen; posterior à viagem a estranhos lugares no estrangeiro e às evocações terríveis entoadas em circunstâncias estranhas e secretas; posterior ao surgimento de certas respostas a essas mesmas invocações e à escrita de uma carta frenética nas condições mais inexplicáveis e agonizantes; posterior ao surto do vampirismo e aos agourentos boatos em Pawtuxet; e posterior ao momento em que a memória do paciente começou a excluir imagens contemporâneas ao mesmo tempo em que a voz começou a falhar e o aspecto físico sofreu a sutil alteração percebida por inúmeros outros mais tarde.

Foi somente por volta dessa época, segundo as observações precisas de Willett, que a qualidade de pesadelo torna-se indissociável de Ward; e o médico tem a apavorante certeza de que existem indícios sólidos o suficiente para sustentar a alegação do jovem no que diz respeito à descoberta crucial. Em primeiro lugar, dois trabalhadores de elevada capacidade intelectual viram os antigos papéis redescobertos de Curwen. Em segundo lugar, o rapaz certa vez mostrou esses papéis e uma página do diário de Curwen ao Dr. Willett, e ambos os documentos tinham um aspecto totalmente genuíno. O buraco em que Ward afirmou tê-los encontrado era uma realidade tangível, e Willett teve um vislumbre muito convincente desses documentos em lugares que quase incitam a descrença e talvez jamais possam ser provados. A esses fatores somam-se os mistérios e as coincidências das cartas entre Orne e Hutchinson, bem como o problema da caligrafia de Curwen e da revelação feita pelos detetives acerca do Dr. Allen; e também a mensagem redigida em letras minúsculas medievais encontrada no bolso de Willett quando recobrou a consciência após a medonha revelação.

Mas, acima de tudo, existem os dois pavorosos resultados que o médico obteve de certas fórmulas durante o estágio final das investigações; resultados que praticamente demonstraram a autenticidade dos papéis e das implicações monstruosas e, ao mesmo tempo, eram retirados da esfera do conhecimento humano pelo resto da eternidade.

2.

É preciso considerar os anos iniciais de Charles Ward como um evento pertencente ao passado, assim como as antiguidades que tanto admirava. No outono de 1918, com uma notável demonstração de fervor durante o serviço militar do período, Ward havia ingressado na Moses Brown School, situada perto da casa em que morava. A construção principal, erguida em 1819, sempre agradara seu gosto por coisas antigas; e o amplo parque em que a academia se localizava agradou o olhar apurado para aquele tipo de cenário. As atividades sociais eram poucas, e o jovem passava a maior parte do tempo em casa, em caminhadas sem rumo, em aulas e exercícios e na busca de dados antiquários e genealógicos na Prefeitura, no Capitólio, na Biblioteca Pública, no Ateneu, na Sociedade Histórica, nas bibliotecas John Carter Brown e John Hay da Brown University e na recém-inaugurada Shepley Library na Benefit Street. Ainda é possível imaginá-lo como era naquela época: alto, esbelto e louro, com olhos atentos e uma leve corcunda, vestido com certo descuido, o que conferia a ele a impressão geral de uma inofensiva falta de jeito, em vez de encanto pessoal.

As caminhadas eram sempre aventuras rumo à antiguidade, durante as quais conseguia recapturar, a partir da miríade de relíquias de uma cidade antiga e esplendorosa, uma imagem vívida e coesa de séculos passados. A casa em que morava era uma enorme mansão em estilo georgiano no alto da colina quase abismal que se erguia logo a oeste do rio; e, pelas janelas dos fundos dos aposentos labirínticos, Charles Ward perdia-se em vertigens ao admirar os pináculos, as cúpulas, os telhados e os topos dos arranha-céus que se amontoavam na parte mais baixa da cidade e que aos poucos davam lugar às colinas purpúreas dos campos mais além. Tinha nascido naquele lugar, e na bela varanda ao estilo clássico na fachada com duas aberturas, a babá o empurrara pela primeira vez no carrinho; para além da pequena casa branca que já existia dois séculos antes que a cidade a alcançasse, e adiante em direção às imponentes universidades ao longo da rua suntuosa e ensombrecida, cujas antigas mansões de tijolos quadrados, junto às casinhas de madeira com varandas estreitas e ornadas por colunas em estilo dórico, sonhavam com a solidez e a exclusividade de que desfrutavam em meio aos exuberantes pátios e jardins.

Também fora empurrado ao longo da sonolenta Congdon Street, uma rua abaixo na íngreme encosta da colina, com todas as casas a leste situadas em terraços elevados. As casinhas de madeira eram ainda mais antigas naquele local, pois, ao crescer, a cidade havia escalado a colina; e nesses passeios Charles tinha absorvido as cores de um pitoresco vilarejo colonial. A babá costumava parar e sentar-se nos bancos de Prospect Terrace para conversar com os policiais; e uma das primeiras lembranças do menino era uma imagem do grande e nebuloso oceano de telhados e cúpulas e pináculos a oeste, bem como a visão das colinas longínquas que teve em uma tarde de inverno mística e violeta junto à balaustrada na margem do rio, com um pôr do sol frenético e apocalíptico repleto de vermelhos e dourados e púrpuras e curiosos matizes de verde. A vasta cúpula de mármore do Capitólio se destacava com sua silhueta colossal, a estátua que a colmava adquirindo um halo fantástico graças a um rasgo em uma das camadas coloridas que encobriam o céu flamejante.

Quando cresceu, as famosas caminhadas começaram; primeiro com a babá, levada a contragosto, e mais tarde sozinho, em um devaneio meditativo. Aventurou-se cada vez mais longe na colina quase perpendicular, encontrando a cada vez lugares ainda mais antigos e ainda mais pitorescos da antiga cidade. Avançou com timidez desde a íngreme Jenckes Street, em meio aos barrancos e às empenas coloniais, até a esquina com a ensombrecida Benefit Street, onde avistou uma antiguidade de madeira com entradas guarnecidas de pilastras jônicas, tendo ao lado uma mansarda pré-histórica com o resquício de antiquíssimas terras aráveis, e a enorme mansão do juiz Durfee, com os vestígios decadentes do esplendor georgiano. O lugar estava transformando-se em um cortiço; mas os titânicos olmos projetavam uma sombra restauradora sobre o lugar, e o garoto tinha por hábito continuar o passeio rumo ao sul, em meio às longas fileiras de casas do período pré-revolucionário com grandes chaminés centrais e portais em estilo clássico. A leste, as casas apoiavam-se no alto de porões guarnecidos por lances duplos de escadas com degraus em pedra, e o jovem Charles conseguia imaginar a aparência que tinham quando eram novos, e quando saltos vermelhos e perucas destacavam os frontões pintados cujos sinais de idade começavam a ficar bastante visíveis.

    A oeste, a colina despencava de forma tão íngreme quanto acima, até a antiga "Town Street" que os fundadores haviam construído à beira do rio em 1636. Lá corriam incontáveis vielas com residências amontoadas e apinhadas umas às outras, que remontavam a uma antiguidade inconcebível; e, por maior que fosse o fascínio despertado, levou tempo até que Ward se atrevesse a galgar aquela verticalidade arcaica, por medo de que se revelassem um sonho ou um portal rumo a terrores desconhecidos. Achava bem menos formidável continuar ao longo da Benefit Street, para além da cerca de ferro do cemitério oculto de St. John's, rumo aos fundos da Casa Colonial de 1761 e ao ponderoso vulto da Golden Ball Inn, onde Washington havia se hospedado. Na Meeting Street, sucessivamente a Gaol Lane e a King Street de outros períodos, direcionava o olhar para cima em direção ao leste e contemplava a escadaria em arco a que a estrada teve de recorrer para subir a encosta, e depois para baixo em direção ao oeste para vislumbrar a velha escola colonial de tijolo à vista, que do outro lado da rua sorri para a antiga Insígnia do Busto de Shakespeare, onde o *Providence Gazette and Country-Journal* eram impressos antes da revolução. A seguir, vinha a magnífica Igreja Batista de 1775, ornada com um campanário insuperável de Gibbs, à qual se somavam os telhados e cúpulas do período georgiano que flutuavam ao redor. Nesse ponto, e em direção ao sul, a vizinhança melhorava de aspecto, e florescia em pelo menos dois grupos distintos de mansões antigas. Mas as vielas ancestrais continuavam a descer o precipício a oeste, com arroubos espectrais de arcaísmo nas múltiplas empenas enquanto despencavam rumo a um caos de decadência iridescente em que a sordidez da antiga zona portuária o fazia pensar na pompa das expedições às Índias, em meio à penúria e ao vício nas mais variadas línguas, a cais apodrecidos e a comerciantes de aprestos com os olhos inchados, devido à falta de sono, e nas alusões que sobreviviam em nomes de ruas, como Packet, Bullion, Gold, Silver, Coin, Doubloon, Sovereign, Guilder, Dollar, Dime e Cent.

Por vezes, à medida que crescia e imbuía-se de um espírito mais aventureiro, o jovem Ward avançava rumo à voragem de casas decrépitas, claraboias quebradas, degraus desabados, balaustradas tortas, rostos morenos e odores inomináveis; serpenteava da South Main até South Water, em busca das docas onde a baía e os vapores do canal ainda se encontravam, para depois retornar pelo norte por aquele nível mais baixo, para além dos armazéns com telhados de duas águas construídos em 1816 e também da ampla praça junto à Great Bridge, onde o Mercado de 1773 permanece sustentado com firmeza pelos velhos arcos. Na praça, detinha o passo para beber água em meio à beleza encantadora da velha cidade que se erguia na margem a leste, ornada por dois campanários georgianos e coroada pela enorme cúpula da Christian Science, assim como Londres é coroada pela St. Paul's Church. Charles Dexter gostava especialmente de chegar ao local no fim da tarde, quando a luz oblíqua do sol toca o Mercado e os ancestrais telhados e campanários da colina, espalhando uma aura de magia ao redor dos cais sonhadores onde os navios de Providence, retornados da Índia, costumavam aportar. Após um longo tempo observando, sentia-se tomado pelo amor de um poeta diante de uma paisagem, e então tratava de subir a encosta e voltar para casa em meio ao crepúsculo, passando pela antiga igreja branca e pelos caminhos estreitos e vertiginosos onde raios amarelos espiavam por trás de janelas com pequenas vidraças e de claraboias no alto de lances duplos de escada, ornados com curiosos balaústres em ferro lavrado.

Em outros momentos, e nos anos posteriores, buscava os mais vívidos contrastes; passava metade da caminhada nas regiões coloniais decrépitas a noroeste de casa, onde a colina diminui o vulto e dá vez à eminência um pouco mais baixa de Stamper's Hill, com o gueto e o bairro negro próximo ao local de onde a diligência de Boston costumava partir antes da Revolução, e a outra metade no gracioso reino sulista entre a George, a Benevolent, a Power e a Williams Street, onde a velha encosta mantém preservadas as belas casas e resquícios de jardins fechados e íngremes caminhos verdejantes, nos quais persistem inúmeras memórias fragrantes. Esses passeios, somados à dedicação aos estudos que os acompanhava, sem dúvida bastariam para explicar o enorme volume de sabedoria antiquária que, no fim, expulsou o mundo contemporâneo da imaginação de Charles Ward; bastariam também para explicar o solo mental em que, no terrível inverno de 1919–1920, caíram as sementes que germinaram frutos tão estranhos e terríveis.

O Dr. Willett tem certeza de que, antes desse inverno aziago em que surgiu a primeira alteração, a fascinação que Charles Ward tinha por antiguidades era isenta de qualquer traço de morbidez. Os cemitérios não exerciam nenhuma atração particular, a não ser pelo caráter pitoresco e pelo valor histórico, e Ward era completamente desprovido de inclinações à violência e de instintos agressivos. Mas, a partir de então, de maneira gradual, começou a delinear-se uma singular continuação para um dos triunfos genealógicos do ano anterior, quando o jovem havia descoberto entre os ancestrais da linha materna um homem deveras longevo chamado Joseph Curwen, que chegara de Salém em março de 1692, e a respeito de quem se contava, aos sussurros, uma série de histórias um tanto peculiares e inquietantes.

Welcome Potter, o trisavô de Ward, casara-se em 1785, com uma certa "Ann Tillinghast, filha da Sra. Eliza, filha do capitão

James Tillinghast", de cuja paternidade a família não havia preservado traço algum. No fim de 1918, enquanto examinava um volume de manuscritos originais com os registros da cidade, o jovem genealogista encontrou uma entrada que descrevia uma alteração de nome realizada em 1772, graças à qual a Sra. Eliza Curwen, viúva de Joseph Curwen, readotou, junto com a filha Ann, de sete anos, o nome Tillinghast, que havia usado na época de solteira, sob a alegação de que "o nome do marido se tornara uma vergonha para a sociedade em razão do que se descobrira após seu falecimento; o qual veio a confirmar um antigo boato, que no entanto não mereceria o crédito de uma esposa fiel enquanto não fosse provado para além de qualquer dúvida". Essa entrada veio à tona após a separação acidental de duas folhas que haviam sido coladas com todo o cuidado e tratadas como se fossem uma folha única, graças a uma trabalhosa análise da numeração das páginas.

Naquele instante, Charles Ward compreendeu que encontrara um tataravô até então desconhecido. A descoberta foi motivo de um duplo entusiasmo, pois Ward já ouvira relatos vagos e encontrara alusões dispersas acerca daquele nome, sobre o qual restavam tão poucos registros disponíveis, além dos que vieram a público somente na época atual, que quase parecia ter havido uma conspiração para apagá-lo da memória. Além do mais, o caso revestia-se de uma natureza tão singular e provocativa que não havia como afastar certas especulações curiosas sobre o que os tabeliães da época colonial estariam tão ávidos por esconder e esquecer, e tampouco a suspeita de que essa obliteração poderia de fato ter razões válidas.

Antes disso, Ward limitava-se a deixar as suposições românticas a respeito de Joseph Curwen na esfera da curiosidade; porém, após descobrir o parentesco com esse personagem silenciado, passou a buscar, da maneira mais sistemática possível, tudo o que pudesse encontrar a seu respeito. Nessa busca desenfreada, logrou um sucesso muito além das expectativas mais otimistas, pois cartas, diários e fardos de memórias não publicadas, encontrados nos sótãos empoeirados de Providence e de outros lugares, forneceram muitas passagens esclarecedoras que os autores não haviam feito questão de destruir. Uma revelação importante veio da longínqua Nova York, uma vez que certas correspondências da época colonial estavam armazenadas no museu da Fraunces'Tavern. O documento crucial, no entanto, que, segundo a opinião do Dr. Willett, precipitou a ruína de Ward, foi o material encontrado em agosto de 1919, por trás dos painéis de uma casa decrépita em Olney Court. Sem dúvida, foi esse documento que descortinou o negro panorama cujo fim era mais profundo do que o abismo.

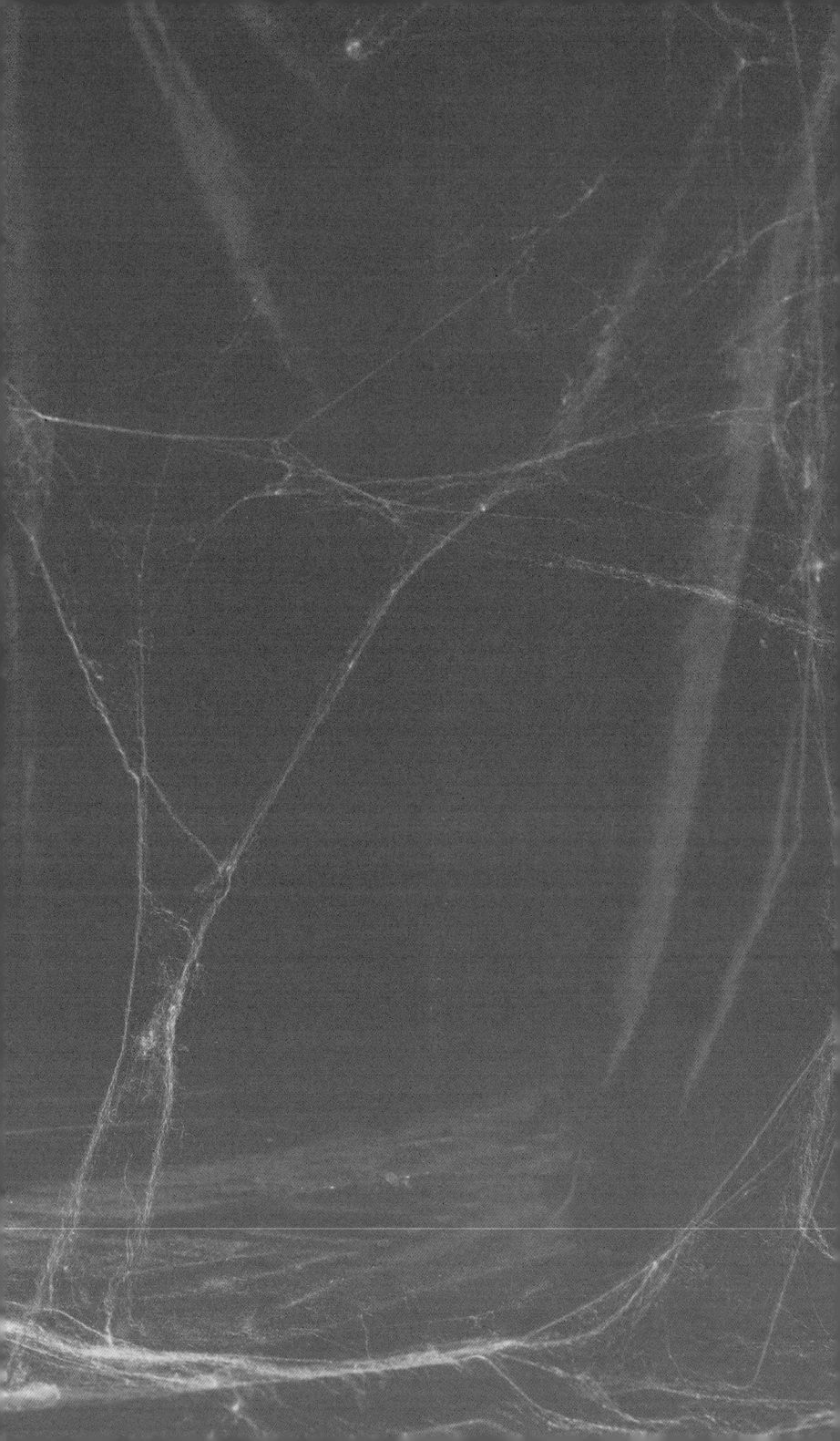

2
Antecedente e horror

1.

Joseph Curwen, segundo os confusos relatos consubstanciados em tudo o que Ward tinha ouvido e descoberto, era um homem impressionante, enigmático, obscuro e terrível. Havia fugido de Salém para Providence, um refúgio universal de tudo o que era estranho, livre e subversivo, no início do grande pânico da bruxaria, com medo de ser acusado por conta da vida solitária e dos singulares experimentos químicos ou alquímicos que conduzia. Era um sujeito pálido, de cerca de trinta anos, e logo obteve a qualificação necessária para tornar-se um homem livre em Providence; e, assim, comprou um terreno um pouco ao norte da casa de Gregory Dexter, próximo ao ponto mais baixo da Olney Street. A casa foi construída em Stamper's Hill, a oeste da Town Street, no que mais tarde viria a se tornar Olney Court; e, em 1761, o proprietário substituiu-a por uma residência maior, que existe até hoje.

A primeira coisa estranha a respeito de Joseph Curwen é que não parecia ficar mais velho do que estava quando chegou à cidade. Envolveu-se com negócios marítimos, comprou um cais próximo de Mile-End Cove, ajudou a reconstruir a Great Bridge em 1713 e, em 1723, foi um dos fundadores da Congregational Church na colina. Porém, sempre mantendo o aspecto pouco chamativo de um homem recém-entrado nos trinta ou trinta e cinco anos. Com o passar das décadas, essa qualidade singular passou a despertar a atenção do público; mas Curwen sempre a explicava, afirmando que tinha ancestrais robustos e que levava uma vida simples que não o exauria. Como tamanha simplicidade poderia ser conjugada às inexplicáveis idas e vindas do furtivo comerciante ou ainda à estranha visão de luz nas janelas da casa em que morava, a todas as horas da madrugada, jamais ficou claro para os moradores da cidade, que assim passaram a ter certa predisposição a acreditar em outros motivos para a juventude prolongada e a longevidade do forasteiro. Em geral, acreditava-se que as incessantes misturas e fervuras de componentes químicos, promovidas por Curwen, tivessem uma estreita relação com essa condição.

Corriam boatos a respeito de estranhas substâncias trazidas de Londres e das Índias nos seus barcos, ou compradas em Newport, Boston e Nova York; e, quando o velho Dr. Jabez Bowen chegou de Rehoboth e abriu o apotecário, do outro lado da ponte, sob a Insígnia do Unicórnio e do Pilão, correram intermináveis conversas sobre as drogas, os ácidos e os metais que o taciturno recluso solicitava de maneira incessante em compras e encomendas. Movidos pela suposição de que Curwen fosse dotado de habilidades médicas, secretas e maravilhosas, inúmeros doentes dos mais variados tipos começaram a procurá-lo em busca de socorro; mas, embora Curwen parecesse incentivar essas crenças de maneira indireta, e sempre providenciasse poções de estranho colorido em resposta a esses apelos, era visível que o tratamento dispensado aos outros raras vezes trazia efeitos benéficos. Por fim, quando mais de cinquenta anos haviam se passado desde a chegada do forasteiro, sem produzir alterações correspondentes a mais do que cinco anos no semblante e no aspecto físico, a população começou a sussurrar histórias mais obscuras e a respeitar o isolamento a que Curwen sempre fora propenso.

As cartas e os diários do período revelam uma verdadeira miríade de outras razões para que Joseph Curwen fosse admirado, temido e, por fim, abominado como a peste. A paixão por cemitérios, onde era avistado a todas as horas e sob todas as condições climáticas, tornou-se notória, embora não houvesse testemunhas de qualquer comportamento que pudesse ser descrito como mórbido. Tinha uma fazenda na Pawtuxet Road, na qual costumava morar durante o verão, e para onde muitas vezes o viam cavalgar nos mais variados e improváveis horários do dia e da noite. Os únicos criados que tinha, trabalhadores do campo e zeladores, eram dois carrancudos índios Narragansett; o marido, mudo e coberto por estranhas cicatrizes; e a esposa marcada pelo aspecto repulsivo do rosto, provavelmente devido à mistura de sangue negro. No galpão ficava o laboratório em que a maioria das experiências era conduzida. Os curiosos carregadores e carreteiros que entregavam vidros, bolsas e caixas na diminuta porta dos fundos trocavam entre si histórias sobre frascos, cadinhos, alambiques e fornalhas no interior do pequeno recinto repleto de prateleiras, e profetizavam aos sussurros que o taciturno "quimista" – querendo dizer "alquimista" – não tardaria a descobrir a Pedra Filosofal. Os vizinhos mais próximos da fazenda, os Fenner, que moravam a quatrocentos metros, tinham histórias ainda mais estranhas a contar sobre os sons que afirmavam vir da propriedade de Curwen à noite. Mencionavam gritos e uivos prolongados, e não gostavam da grande quantidade de animais que enchia os pastos, demasiado excessiva para fornecer a apenas um homem solitário e poucos criados as provisões necessárias de carne, leite e lã. A composição do rebanho parecia mudar de uma semana para a outra à medida que novos animais eram comprados dos fazendeiros de Kingstown. O sentimento de repulsa ficava ainda mais intenso por conta de uma grande construção de pedra que não tinha nada além de frestas elevadas à guisa de janelas.

Da mesma forma, os desocupados da Great Bridge tinham muito a dizer sobre a casa na cidade, em Olney Court; nem tanto acerca da nova, construída em 1761, quando o proprietário devia ser quase um homem centenário, mas acerca da primeira, mais antiga, que tinha um telhado com água-furtada, um sótão desprovido de janelas e as fachadas cobertas por recortes de madeira, que Curwen teve o cuidado de queimar após a demolição. É fato que nesse caso o mistério era menor, mas, nas horas em que as luzes estavam acesas, a furtividade dos dois forasteiros de pele morena que compunham a totalidade da criadagem masculina, os pavorosos e incompreensíveis rumores da idosa governanta francesa, as enormes quantidades de comida que adentravam a porta de uma casa onde viviam apenas quatro pessoas e a qualidade de certas vozes ouvidas durante conversas abafadas em horários altamente improváveis, combinavam-se com os demais boatos sobre a fazenda de Pawtuxet e davam origem à má reputação do lugar.

A residência de Curwen era assunto mesmo nos círculos de maior prestígio; afinal, enquanto trabalhava na igreja e na vida comercial do vilarejo, o forasteiro havia cultivado as melhores amizades para assim poder desfrutar de companhias e conversas adequadas à educação que havia recebido. O berço de onde vinha era bom, uma vez que os Curwen, ou Corwin de Salém, dispensavam apresentações na Nova Inglaterra. A certa altura, veio à tona que Joseph Curwen viajara um bocado ainda menino, tendo vivido por um tempo na Inglaterra e feito pelo menos duas viagens ao Oriente; e o sotaque, quando se dignava a falar, era o de um cavalheiro inglês culto e refinado. Mas, por algum motivo, Curwen não se importava com a vida em sociedade. Embora jamais mandasse os visitantes embora, costumava erguer uma muralha de reserva tão intransponível que poucos conseguiam pensar em dizer alguma coisa que não soasse banal.

Seu comportamento parecia ocultar uma arrogância enigmática e sardônica, como se tivesse passado a aborrecer-se com toda a humanidade depois de mover-se em meio a entidades mais estranhas e mais potentes. Quando o Dr. Checkley, famoso pela erudição e pelo espírito trocista, chegou de Houston em 1738, para ser reitor da King's Church, Joseph Curwen não perdeu a oportunidade de fazer uma visita à personalidade de quem tanto ouvira falar; mas foi embora após poucos instantes por conta de uma sinistra nota subjacente percebida no discurso do anfitrião. Charles Ward contou ao pai, quando os dois falavam a respeito of Curwen em uma noite de inverno, que estaria disposto a oferecer muita coisa para saber o que aquele velho sinistro teria dito para o vivaz clérigo, porém todos os diários estão de acordo ao mencionar a relutância do Dr. Checkley em repetir o que ouvira. O bom homem recebera um choque terrível, e a partir de então não conseguia mais pensar em Joseph Curwen sem obter, como resultado, a perda momentânea da alegria que o havia tornado famoso.

Bem mais claro, no entanto, foi o motivo que levou outro homem de bom gosto e boa criação a evitar o arrogante ermitão. Em 1746, o Sr. John Merritt, um idoso cavalheiro inglês, com inclinações literárias e científicas, chegou de Newport à cidade que rapidamente a ultrapassava em prestígio e construiu uma bela casa rural em Neck, onde hoje se localiza o coração da melhor zona residencial. Vivia cercado de estilo e de conforto, porém mantinha o primeiro coche e a criadagem de libré na cidade, e se enchia de orgulho do telescópio, do microscópio e da seleta biblioteca de livros ingleses e latinos. Ao ouvir que Curwen era o proprietário da melhor biblioteca de Providence, o Sr. Merritt tratou de fazer uma visita o mais rápido que pôde, e foi recebido com mais cordialidade do que a maioria dos outros visitantes da casa. A admiração demonstrada pelo visitante em relação às amplas prateleiras do anfitrião, que além dos clássicos gregos, latinos e ingleses vinham equipadas com uma impressionante bateria de obras filosóficas, matemáticas e científicas, incluindo obras de Paracelso, Agrícola, Van Helmont, Sylvius, Glauber, Boerhaave, Becher e Stahl, levou Curwen a sugerir uma visita à fazenda e ao laboratório, onde ninguém jamais estivera; e assim os dois partiram de imediato no coche do Sr. Merritt.

O Sr. Merritt sempre afirmava não ter visto nada de horripilante na fazenda, mas admitia que os títulos dos livros na biblioteca especial de taumaturgia, alquimia e teologia, que Curwen mantinha em um recinto à parte, foram o suficiente para inspirar-lhe um duradouro sentimento de repulsa. No entanto, é possível que a expressão facial do proprietário ao exibir os livros tenha contribuído em boa medida para esse preconceito. A estranha coleção, além de uma miríade de obras clássicas que o Sr. Merritt pôde invejar sem motivo algum para alarme, abarcava praticamente todos os cabalistas, demonologistas e magos conhecidos à humanidade, e consistia em um verdadeiro tesouro de sabedoria em reinos duvidosos como a alquimia e a astrologia. Hermes Trismegisto na edição de Mesnard; o *Turba Philosophorum*; o *Liber Investigationis*, de Geber; e o *Key of Wisdom*, de Artephius; estavam todos lá, com o cabalístico *Zohar*, a coleção de Alberto Magno, editada por Peter Jammy; o *Ars Magna et Ultima*, de Raimundo Lúlio, na edição de Zetzner; o *Thesaurus Chemicus*, de Roger Bacon; o *Clavis Alchimiae*, de Fludd e o *De Lapide Philosophico*, de Tritêmio ao lado. Judeus e árabes medievais estavam representados em profusão, e o Sr. Merritt empalideceu quando, ao tomar nas mãos um belo volume, claramente identificado como *Qanoon-e-Islam*, descobriu tratar-se, na verdade, do proscrito *Necronomicon* do árabe louco Abdul Alhazred, a respeito do qual havia escutado coisas monstruosas, ditas aos sussurros anos antes, quando se revelou a prática de rituais inomináveis no estranho vilarejo pesqueiro de Kingsport, na Província de Massachusetts Bay.

No entanto, por mais estranho que pareça, o grande motivo da perturbação alegada pelo digno cavalheiro foi um mero detalhe. Na enorme mesa de mogno encontrava-se um exemplar muito desgastado de Borellus, que trazia um grande número de anotações e interlineações crípticas, feitas na caligrafia de Curwen. O livro estava aberto no meio, e um determinado parágrafo exibia sublinhados tão grossos e tão trêmulos, sob as linhas de místicos caracteres góticos, que o visitante não pôde resistir a analisá-los. Se foi a natureza da passagem grifada ou o peso febril dos golpes da pena que formavam os grifos, o Sr. Merritt não soube dizer; mas algo naquela combinação causou-lhe uma impressão muito negativa e muito peculiar. O Sr. Merritt recordou a passagem até o fim da vida, reproduzindo-a de memória no próprio diário pessoal, e, certa vez, tentou recitá-la para o Dr. Checkley, com quem mantinha uma estreita amizade, mas deteve-se ao perceber quanto aquilo perturbava o cortês reitor. A passagem dizia:

"Os sais essenciais dos animais podem ser preparados e preservados de modo que um homem engenhoso pode ter toda a Arca de Noé em seu próprio escritório e fazer surgir a bela forma de um animal das cinzas deste a seu bel-prazer; e, pelo mesmo método, dos sais essenciais do pó humano, sem criminosa necromancia, um filósofo pode fazer reviver a forma de qualquer ancestral falecido das cinzas em que seu corpo se tornou".

Era nas cercanias das docas, na parte ao sul da Town Street, no entanto, que corriam os piores boatos acerca de Joseph Curwen. Os marinheiros são supersticiosos, e os lobos do mar, que tripulavam as infinitas chalupas de rum, escravos e melaço, os mal-afamados navios corsários e os grandes brigues das famílias Brown, Crawford e Tillinghast, faziam estranhos e furtivos gestos de proteção quando viam a figura magra, e enganadoramente jovem, de cabelos trigueiros, e com uma discreta corcunda, entrar no depósito de Curwen na Doubloon Street ou conversar com os capitães e supervisores no longo cais em que os navios de Curwen aportavam inquietantemente. Os próprios fiscais e capitães de Curwen nutriam temor e ódio pelo empregador, e todos os marujos pertenciam à rábula mestiça da Martinica, de Santo Eustáquio, de Havana ou de Port Royal. De certa forma, a frequência com que os marinheiros eram substituídos foi o que inspirou a parte mais intensa e mais tangível do medo despertado pelo velho. Uma tripulação desembarcava na cidade em licença, por vezes com um ou outro afazer a cumprir; porém, no momento da reunião, quase sempre se dava pela falta de um ou mais homens. O fato de que muitos afazeres envolviam a fazenda na Pawtuxet Road, somado ao fato de que poucos marinheiros retornavam do lugar, não foi esquecido; de maneira que, passado algum tempo, Curwen passou a enfrentar grandes dificuldades para manter os homens da caótica tripulação. Quase sempre um grande número de marinheiros desertava imediatamente após ouvir os boatos sobre os cais de Providence, e a reposição desses homens nas Índias Ocidentais tornou-se um problema cada vez maior para o comerciante.

Em 1760, Joseph Curwen havia se tornado um pária e era suspeito de ter perpetrado horrores vagos e forjado alianças demoníacas que pareciam ainda mais ameaçadoras porque não tinham nome, não eram compreendidas e também porque não havia sequer provas de que existiam. A gota d'água pode ter sido o caso dos soldados desaparecidos em 1758, pois, em março e abril daquele ano, dois regimentos reais, a caminho da Nova França, alojaram-se em Providence e desapareceram como resultado de um processo inexplicável, muito além da quantidade média de deserção. Boatos furtivos mencionavam a frequência com que Curwen era visto conversando com os forasteiros de capa vermelha; e, quando eles começaram a desaparecer, as pessoas lembraram-se do estranho fenômeno que acometia os marinheiros. O que teria acontecido se os regimentos não recebessem ordens de seguir adiante, ninguém saberia dizer.

Enquanto isso, o comerciante prosperava nos negócios mundanos. Praticamente detinha o monopólio sobre o comércio de salitre, pimenta-do-reino e canela, e, com a exceção da firma dos Brown, estava à frente de quase todos os outros estabelecimentos de comércio marítimo na importação de artigos de latão, índigo, algodão, lã, sal, aprestos, ferro, papel e bens ingleses de todo tipo. Lojistas como James Green, sob a Insígnia do Elefante em Cheapside, os Russell, sob a Insígnia da Águia Dourada no outro lado da Ponte, ou Clark e Nightingale, sob a insígnia da Frigideira e do Peixe nas proximidades da New Coffee-House, dependiam de Ward em caráter quase exclusivo para a obtenção desses produtos; e os acordos firmados com os destiladores locais, os leiteiros e criadores de cavalo Narrangasett e os fabricantes de velas em Newport haviam-no transformado em um dos maiores exportadores da Colônia.

Embora relegado ao ostracismo, Joseph Curwen não era desprovido de espírito cívico. Quando a Casa Colonial queimou, fez grandes investimentos nas loterias, graças às quais o novo prédio, de alvenaria – que ainda hoje se ergue na antiga rua principal –, foi construído em 1761. No mesmo ano, ajudou a reconstruir a Great Bridge, após o furacão de outubro. Repôs muitos livros da biblioteca pública, para substituir os que haviam sido consumidos pelo fogo durante o incêndio da Casa Colonial, e comprou muitos bilhetes da loteria que propiciaram à enlameada Market Parade e à sulcada

Town Street a pavimentação com grandes pedras arredondadas e um passeio ou canteiro de tijolos no meio. Por volta da mesma época, construiu a simples, mas excelente residência cuja fachada sobrevive até hoje como um grande triunfo de entalhes em madeira. Quando os partidários de Whitefield romperam com a igreja do Dr. Cotton em 1743 e fundaram a igreja Deacon Snow do outro lado da Ponte, Curwen os acompanhou, embora o fervor e o interesse pelo assunto tenham durado pouco. Porém, voltou a cultivar a religiosidade, como se quisesse dissipar a sombra que o havia precipitado rumo ao isolamento e que não tardaria a arruinar seus negócios se não fosse combatida.

2.

A visão do homem estranho e pálido, que mal aparentava estar na meia-idade, embora não pudesse ter menos do que um século de vida, e tentava enfim dissipar uma nuvem de pavor e repulsa demasiado vaga para que se pudesse compreendê-la ou analisá-la, era a um só tempo dramática, patética e desprezível. No entanto, o poder da fortuna monetária e dos gestos superficiais resultou em uma discreta redução na visível repulsa que lhe era dispensada, em particular depois que o súbito desaparecimento dos marinheiros cessou de repente. Ao mesmo tempo, Curwen deve ter começado a cercar-se de cuidado e discrição durante as expedições noturnas ao cemitério, pois nunca mais foi avistado nessas perambulações; e os boatos acerca de sons e movimentações estranhas na fazenda de Pawtuxet diminuíram na mesma proporção. O consumo de mantimentos e a reposição dos animais do campo mantiveram-se em um nível anômalo; mas apenas em tempos recentes, quando Charles Ward examinou contas e faturas do antepassado na Shepley Library, ocorreu ao público em geral – talvez com a exceção de um certo jovem amargurado com a vida – estabelecer ligações sombrias entre o elevado número de negros importados da Guiné até 1766 e a inquietante ausência de notas fiscais idôneas emitidas para os mercadores de escravos na Great Bridge ou para os donos de plantações em Narragansett Country.

Sem dúvida, a astúcia e a engenhosidade da figura abominável revelaram-se estranhamente profundas quando a necessidade premente de usá-las se apresentou.

Mesmo assim, o efeito dessas correções tardias foi mínimo. Joseph Curwen continuou a inspirar desconfiança e a ser evitado, o que, a bem dizer, encontrava respaldo no eterno aspecto jovial que ostentava mesmo em idade avançada; e, no fim, percebeu que a fortuna poderia dar uma guinada para o pior. Qualquer que fosse a natureza dos complexos estudos e experimentos que conduzia, era evidente que mantê-los exigia uma renda considerável; e, uma vez que qualquer mudança na situação o privasse das vantagens comerciais que alcançara, não valeria a pena recomeçar em outra região. O juízo havia ditado que remediasse as relações que mantinha com o povo de Providence, de maneira que sua presença deixasse de ser motivo para conversas a meia voz, desculpas transparentes para compromissos em outros lugares e uma atmosfera generalizada de reserva e inquietude. Seus empregados, a essa altura reduzidos aos rejeitos depauperados e modorrentos a quem ninguém mais daria emprego, haviam se transformado em uma fonte de constantes preocupações; e os capitães e imediatos eram mantidos apenas por força da astúcia de Curwen, que tratou de exercer uma forte influência sobre todos por meio de hipotecas, notas promissórias ou informações pertinentes ao bem-estar do interessado. Muitos diários da época registraram, com evidente espanto, que Curwen parecia ter poderes quase sobrenaturais para descobrir segredos de família no intuito de empregá-los para fins um tanto questionáveis. Nos últimos cinco anos de vida, a impressão causada era a de que nada menos do que conversas diretas com os mortos de outrora poderia ter fornecido certas informações que tinha na ponta da língua.

Por volta da mesma época, o sagaz erudito tentou um último e desesperado expediente para se restabelecer no seio da comunidade. Depois de passar a vida inteira como um completo ermitão, Curwen resolveu tirar vantagem do matrimônio com uma esposa de reconhecida posição social a fim de tornar impossível o ostracismo da casa onde morava. Pode ser que tivesse outros motivos mais profundos para forjar tal aliança – motivos tão estranhos à esfera cósmica em que vivemos que somente papéis encontrados um século e meio após sua morte levantaram suspeitas; porém, jamais teremos respostas definitivas quanto a essas questões. Sem dúvida Curwen estava ciente do horror e da indignação com que qualquer tentativa de corte seria recebida, e assim tratou de procurar uma candidata sobre cujos pais pudesse exercer uma pressão considerável. Essas candidatas, no entanto, não eram fáceis de encontrar, pois Curwen tinha exigências muito específicas no que dizia respeito à beleza, aos talentos e à estabilidade social. Por fim, viu-se reduzido à casa de um dos melhores e mais antigos capitães – um viúvo nascido em berço de ouro e de reputação impecável chamado Dutee Tillinghast, cuja filha Eliza parecia ter sido abençoada com todo tipo de virtudes imaginável, a não ser no que dizia respeito às perspectivas como herdeira. O capitão Tillinghast estava sob o completo domínio de Curwen, e, após um terrível colóquio na casa encimada por uma cúpula onde morava, em Power's Lane Hill, consentiu em sancionar essa aliança blasfema.

Eliza Tillinghast somava na época dezoito anos de idade, e tinha sido criada da forma mais delicada possível nas limitadas circunstâncias do pai. Havia frequentado a Stephen Jackson's School, em frente à Court-House Parade, e sido instruída nas artes e requintes da vida doméstica pela diligente mãe, que morreu em decorrência de varíola em 1757. Exemplares de objetos feitos por Eliza aos nove anos de idade podem ainda hoje ser vistos nas salas da Rhode Island Historical Society. Após o falecimento da mãe, Eliza passou a cuidar da casa, auxiliada somente por uma velha negra. As discussões que teve com o pai acerca do matrimônio proposto por Curwen devem ter sido dolorosas, mas a esse respeito não há nenhum registro. O que se sabe é que o noivado com o jovem Ezra Weeden, o imediato do paquete *Enterprise*, de Crawford, foi devidamente rompido, e que a união com Joseph Curwen foi celebrada na igreja batista, no dia 7 de março de 1763, na presença dos mais distintos personagens que a cidade tinha a oferecer, em uma cerimônia oficiada pelo jovem Samuel Winsor. O *Gazette* publicou uma breve nota sobre a cerimônia, e na maioria dos exemplares que sobreviveram à passagem do tempo o item em questão parece ter sido recortado ou rasgado. Após inúmeras buscas, Ward encontrou um único exemplar intacto nos arquivos de um notável colecionador particular, e admirou com gosto a falsa cortesia da linguagem empregada:

> "Na tarde da última segunda-feira, o senhor Joseph Curwen, dessa Cidade, comerciante, casou-se com a senhorita Eliza Tillinghast, filha do capitão Dutee Tillinghast, uma jovem que soma real merecimento a uma bela pessoa, para honrar o estado conjugal e perpetuar sua Felicidade".

As correspondências trocadas entre Durfee e Arnold, descobertas por Charles Ward pouco antes do primeiro surto de loucura, na coleção do Sr. Melville F. Peters, da George Street, cobrem esse período e o imediatamente anterior e oferecem um testemunho contundente do ultraje causado ao sentimento público pelo mal-arranjado casamento. O prestígio social dos Tillinghast, no entanto, não podia ser negado; e mais uma vez Joseph Curwen viu sua casa frequentada por pessoas que, de outra forma, jamais teria conseguido persuadir a cruzar o umbral de sua porta. Mas a aceitação não foi de forma alguma total, e a noiva sofreu diversos reveses sociais em decorrência da união forçada; mesmo assim, a muralha de absoluto ostracismo desabou em parte. No tratamento dispensado à esposa, o estranho noivo surpreendeu tanto à própria, quanto à comunidade em geral, ao demonstrar profunda graciosidade e consideração. A nova casa em Olney Court estava, então, completamente a salvo de manifestações perturbadoras, e, embora Curwen passasse boa parte do tempo ausente na fazenda em Pawtuxet, que a esposa jamais visitava, parecia nessa época uma pessoa mais normal do que jamais havia sido em todos os longos anos de residência. Somente uma pessoa manteve uma inimizade declarada: o jovem oficial de navio cujo noivado com Eliza Tillinghast fora rompido de maneira tão abrupta. Ezra Weeden havia jurado vingança e, embora tivesse uma disposição pacata e introvertida, viu-se tomado por uma determinação obsessiva e odiosa que não trazia bons presságios para o marido usurpador.

No dia 7 de maio de 1765, nasceu Ann, a única filha de Curwen, que foi batizada pelo reverendo John Graves, da King's Church, com quem tanto o marido quanto a esposa haviam entrado em contato logo após o matrimônio a fim de encontrar um meio-termo para as respectivas afiliações à igreja congregacional e à igreja batista. O registro do nascimento, bem como o do matrimônio celebrado dois anos antes, foi riscado de quase todos os documentos eclesiásticos e anais da cidade; Charles Ward localizou-os apenas graças a um árduo trabalho de busca empreendido depois que a mudança de nome efetuada pela viúva revelou o parentesco que o ligava ao objeto da pesquisa, e assim engendrou o interesse febril que culminou em loucura. Com efeito, a certidão de nascimento foi encontrada em uma troca de correspondências bastante curiosa entre os herdeiros do Dr. Graves, que havia levado consigo uma duplicata de todos os registros quando deixou o pastorado após o início da Revolução. Ward havia buscado essa fonte porque sabia que a trisavó, Ann Tillinghast Potter, tinha sido adepta da igreja episcopal.

Pouco tempo após o nascimento da filha – um acontecimento que parece ter recebido com um fervor bastante incompatível com a frieza habitual –, Curwen decidiu encomendar um retrato de si mesmo. O retrato foi pintado por um escocês muito talentoso de nome Cosmo Alexander, que na época morava em Newport e mais tarde ganhou fama como um dos primeiros mestres de Gilbert Stuart. Segundo relatos, teria sido executado em um painel na biblioteca da casa em Olney Court, mas nenhum dos antigos diários que o mencionavam oferecia qualquer pista sobre o destino final do retrato. Por volta desse período, o acadêmico errático começou a dar mostras de uma abstração fora do comum e a passar o maior tempo possível na fazenda em Pawtuxet Road. Segundo relatos, dava a impressão de se encontrar em um estado de empolgação contida ou de suspense, como se aguardasse um acontecimento extraordinário ou estivesse prestes a fazer uma estranha descoberta. A química, ou a alquimia, pareciam ter desempenhado um papel importante, pois Curwen levou para a fazenda a maior parte dos livros sobre esses assuntos.

A afetação de interesse cívico não arrefeceu, e Curwen tampouco perdia a oportunidade de ajudar líderes como Stephen Hopkins, Joseph Brown e Benjamin West a elevar o nível cultural da cidade, que na época se encontrava muito inferior ao de Newport, no que dizia respeito às artes.

Ajudou Daniel Jenckes a estabelecer a livraria em 1763, e a partir de então passou a ser o mais assíduo cliente. Também ofereceu ajuda ao emergente *Gazette*, impresso todas as quartas-feiras sob a Insígnia do Busto de Shakespeare. Na política, ofereceu apoio irrestrito ao governador Hopkins contra o partido de Ward, que concentrava forças em Newport, e o eloquente discurso que proferiu no Hacker's Hall, em 1765, contra a emancipação de North Providence como um vilarejo independente, por meio de um voto a favor de Ward na Assembleia Geral, contribuiu demasiadamente para diminuir o preconceito com que era visto. Mas Ezra Weeden, que o observava de perto, zombava de todo aquele ativismo político e alardeava, para quem quisesse ouvir, que tudo não passava de uma máscara sob a qual Curwen mantinha tráfico com os mais negros abismos do Tártaro. O jovem vingativo lançou-se em um estudo sistemático do homem e de seus afazeres sempre que estava em terra; à noite, quando via luzes nos armazéns de Curwen, passava longas horas de prontidão em uma canoa a remo no cais, para então seguir o barquinho, que por vezes cruzava furtivamente a baía. Também vigiava de perto a fazenda de Pawtuxet, e, certa vez, levou sérias mordidas dos cachorros que o casal de índios soltara contra o invasor.

3.

Em 1766, Joseph Curwen sofreu a derradeira transformação. A mudança foi muito repentina e chamou a atenção de todos os moradores curiosos, pois a atmosfera de suspense e de expectativa caiu como um velho manto, dando vez à exaltação maldisfarçada de um triunfo perfeito. Curwen parecia enfrentar dificuldades para evitar manifestações públicas sobre o que havia descoberto, aprendido ou feito; mas, aparentemente, a necessidade de discrição era maior do que o desejo de compartilhar o êxito, pois nenhuma explicação foi oferecida. Após a transição, que parece ter se operado no início de julho, o sinistro acadêmico começou a impressionar as pessoas com a posse de informações que somente seus antepassados, falecidos muito tempo antes, poderiam ser capazes de fornecer.

Porém, as febris atividades secretas de Curwen não cessaram com a mudança. Muito pelo contrário: davam a impressão de aumentar, pois uma parte cada vez maior dos negócios marítimos começou a ser administrada pelos capitães, que àquela altura estavam ligados a Curwen por laços de medo tão poderosos quanto antes haviam sido os da bancarrota. O comércio de escravos foi abandonado por completo, sob o pretexto de que os lucros eram cada vez menores. Curwen passava o tempo inteiro na fazenda de Pawtuxet, embora de vez em quando surgissem boatos de que estivera em lugares que, apesar de não ficarem próximos a nenhum cemitério, levaram os mais pensativos a refletir sobre a real extensão da mudança de hábitos que se havia operado no comerciante. Ezra Weeden, embora tivesse períodos de espionagem necessariamente breves e intermitentes em função das viagens marítimas, tinha uma persistência vingativa sem par entre os moradores e fazendeiros de espírito mais prático, e assim submeteu os negócios de Curwen a um escrutínio que nunca haviam recebido antes.

Muitas das estranhas manobras executadas pelas embarcações do comerciante tinham sido atribuídas à turbulência de um período em que todos os colonizadores pareciam estar determinados a resistir às provisões da Lei do Açúcar, que impediam a movimentação conspícua dos navios. O contrabando e a evasão eram as regras em Narragansett Bay, e o desembarque noturno de cargas ilícitas era uma ocorrência corriqueira. Porém, Weeden, depois de observar, noite após noite, as balsas ou as pequenas chalupas que se afastavam com manobras dos armazéns de Curwen, junto às docas da Town Street, logo percebeu que não eram apenas os navios armados de Vossa Majestade que o sinistro personagem tentava evitar. Antes da mudança, em 1766, a maior parte dos navios trazia cargas de negros acorrentados, que eram levados até o outro lado da baía e descarregados em um local obscuro nas margens logo ao norte de Pawtuxet, para então serem conduzidos outeiro acima e campo afora até chegar à fazenda de Curwen, onde eram trancados na enorme construção de pedra que não tinha nada além de frestas elevadas à guisa de janelas. Após a mudança, no entanto, todo o programa sofreu alterações. A importação de escravos cessou de repente, e por um tempo Curwen abandonou a movimentação noturna dos navios. Então, por volta da primavera de 1767, surgiu uma nova política. Mais uma vez as balsas começaram a zarpar das negras e silenciosas docas e a descer a baía por uma certa distância, por vezes até Namquit Point, quando então recebiam carregamentos de estranhos navios de tamanho considerável e aspecto variado ao extremo. A seguir, os marinheiros de Curwen depositavam a carga junto à margem, no lugar de sempre, e de lá a transportavam por terra até a fazenda, para então trancafiá-la na críptica estrutura de pedra que antes havia recebido os negros. A carga era composta quase exclusivamente por caixas e caixotes, quase sempre grandes, pesados e oblongos que guardavam uma perturbadora semelhança com a silhueta de um ataúde.

Weeden sempre vigiava a fazenda de maneira persistente, visitando-a diariamente por longos períodos e raramente permitindo uma semana inteira passar sem observações, salvo quando a neve no chão pudesse reter suas pegadas. Mesmo nesses casos, aproximava-se quanto fosse possível pela beira da estrada ou pelo gelo do rio vicinal para investigar os rastros que outros pudessem ter deixado. Ao perceber que essas vigílias noturnas seriam interrompidas pelos deveres náuticos, Ezra Weeden contratou um companheiro de taverna, chamado Eleazar Smith, para levar adiante as buscas durante o período em que estivesse ausente; e os dois poderiam ter dado início a boatos extraordinários. Mesmo assim, os boatos não vieram à tona porque ambos sabiam que o efeito de qualquer publicidade seria alertar a presa e impedir qualquer tipo de progresso nas investigações. Weeden e Smith queriam ter alguma certeza antes de tomar qualquer atitude. O que descobriram deve ter sido espantoso ao extremo, e, em várias conversas com os pais, Charles Ward lamentou o fato de que Weeden mais tarde houvesse queimado todos os cadernos que tinha. Tudo o que se pode saber a respeito das descobertas é o que Eleazar Smith anotou em um diário um tanto desconexo e o que outros diários e cartas da época repetiram timidamente a partir dos relatos feitos mais tarde pelos dois – segundo os quais a fazenda era apenas o invólucro externo de uma ameaça colossal e repulsiva, de um escopo e de uma grandeza demasiado profundos e intangíveis para uma compreensão menos difusa e nebulosa.

Percebe-se que Weeden e Smith não tardaram a se convencer da existência de uma enorme série de galerias e catacumbas, habitadas por um número considerável de pessoas, além do velho casal de índios, sob o terreno da fazenda. A casa era uma antiga relíquia da metade do século XVII, com telhado de duas águas, guarnecido por uma enorme chaminé e janelas de treliça em forma de losango, estando o laboratório situado em um galpão mais ao norte, em um ponto em que o telhado quase tocava o chão. A construção ficava afastada de todas as demais; porém, a dizer pelas diferentes vozes escutadas no interior, até mesmo nos horários mais improváveis, devia ser acessível a partir de passagens secretas nos subterrâneos. Antes de 1766, essas vozes eram meros balbucios, sussurros e gritos desesperados dos negros, somados a peculiares cânticos ou invocações. Após essa data, no entanto, revestiram-se de um caráter deveras peculiar e odioso, e passaram a oscilar entre murmúrios de aquiescência reprimida e explosões de dor ou de ira frenética, rumores de conversas e gemidos de lamúria, arquejos de entusiasmo e gritos de protesto. Davam a impressão de pertencer a diferentes línguas, todas faladas por Curwen, cujo sotaque gutural muitas vezes podia ser ouvido em resposta, reprimenda ou ameaça. Às vezes tinha-se a impressão de que havia diversas pessoas na casa; Curwen, certos prisioneiros e os guardas desses prisioneiros. Havia vozes que nem Weeden nem Smith jamais tinham ouvido, embora possuíssem um vasto conhecimento sobre as nações estrangeiras, e outras que davam a impressão de pertencer a esta ou àquela nacionalidade. A natureza das conversas parecia consistir sempre em uma espécie de sabatina, como se Curwen quisesse arrancar informações dos prisioneiros rebeldes ou aterrorizados.

Weeden tinha diversas anotações *verbatim* de fragmentos ouvidos, pois o inglês, o francês e o espanhol eram usados com frequência; mas nenhuma delas se salvou. No entanto, afirmou que, à exceção de uns poucos diálogos monstruosos em que os assuntos passados das famílias de Providence eram discutidos, a maioria das perguntas e respostas que conseguiu ouvir eram de natureza histórica ou científica, por vezes atinentes a lugares e épocas muito longínquas. Certa vez, por exemplo, uma figura que alternava entre momentos de ira e mau humor foi questionada em francês acerca do massacre promovido pelo Príncipe Negro em Limoges, no ano de 1370, como se houvesse uma razão secreta que pudesse esclarecer. Curwen perguntou ao prisioneiro – se é que de fato se tratava de um prisioneiro – se a ordem para matar fora dada em resposta ao Símbolo do Bode encontrado no altar da antiga cripta romana sob a catedral ou se o Homem Negro da Congregação das Bruxas de Alto Vienne havia proferido as Três Palavras. Diante do fracasso na obtenção de respostas, o inquisidor dera a impressão de recorrer a meios extremos – pois ouviu-se um terrível grito seguido por silêncio e balbucios e, por fim, um baque.

Nenhum desses colóquios foi testemunhado com os olhos, uma vez que as janelas se encontravam o tempo inteiro cobertas por pesadas cortinas. Certa vez, no entanto, durante um pronunciamento em uma língua desconhecida, uma sombra avistada na cortina infundiu extremo pavor em Weeden, pois lembrou-o das marionetes que tinha visto em um espetáculo no outono de 1764 no Hacker's Hall, quando um homem de Germantown, Pensilvânia, apresentou um interessante espetáculo mecânico, anunciado como "Vista da Famosa Cidade de Jerusalém, no qual são representados Jerusalém, o Templo de Salomão, seu Trono Real, as Torres famosas e as Colinas, bem como os padecimentos do Nosso Salvador desde o Jardim de Getsemani até a Cruz sobre o Monte Gólgota; Peça Artística que os curiosos não podem deixar de ver". Foi nessa ocasião que o ouvinte, à espreita junto à janela do recinto frontal de onde as vozes emanavam, soltou um grito que acordou o velho casal de índios e levou-os a soltar os cachorros. A partir de então, nenhuma outra conversa foi ouvida na casa, e Weeden e Smith concluíram que Curwen havia transferido o campo de ação para as regiões subterrâneas.

Que tais regiões existiam de verdade parecia ser um fato amplamente comprovado por diversos indícios. Gritos e gemidos inconfundíveis de tempos em tempos saíam do que parecia ser terra sólida em lugares distantes de qualquer estrutura; e, oculto nos arbustos ao longo do rio mais ao fundo, onde o terreno elevado se precipitava abruptamente em direção ao vale de Pawtuxet, foi encontrada na pesada cantaria uma porta de carvalho em arco, que sem dúvida era uma via de acesso às cavernas no interior da colina. Quando e como essas catacumbas teriam sido construídas, Weeden não saberia dizer; mas com frequência chamava atenção para a facilidade com que o local seria alcançado por bandos de trabalhadores não avistados que viessem pelo rio. De fato, Joseph Curwen empregava os marinheiros de sangue mestiço nas mais variadas tarefas. Durante as fortes chuvas, na primavera de 1769, os dois observadores ficaram de olho na íngreme margem do rio para ver se quaisquer segredos subterrâneos podiam revelar-se à luz, e foram recompensados pela visão de incontáveis ossos de origem humana e animal em lugares em que sulcos profundos haviam cortado o solo das margens. Naturalmente poderia haver diversas explicações para essas coisas nos fundos de uma fazenda de gado em um local onde antigos cemitérios indígenas eram comuns, mas Weeden e Smith tiraram suas próprias conclusões.

Em janeiro de 1770, quando Weeden e Smith ainda discutiam em vão o que pensar ou fazer a respeito de toda a perturbadora situação, deu-se o incidente com a *Fortaleza*. Exasperados pelo incêndio que acometeu a chalupa da receita *Liberty*, ocorrido em Newport durante o verão anterior, a esquadra alfandegária, comandada pelo almirante Wallace, adotara uma vigilância mais severa no que dizia respeito a embarcações desconhecidas; e, nessa ocasião, a escuna armada *Cygnet*, de Vossa Majestade, comandada pelo capitão Charles Leslie, capturou, após uma breve perseguição, a barca *Fortaleza*, de Barcelona, Espanha, que segundo o registro de bordo viera desde o Cairo, no Egito, até Providence sob o comando do capitão Manuel Arruda. Ao ser revistado em função de possíveis contrabandos, o navio fez a surpreendente revelação de que a carga transportada consistia exclusivamente de múmias egípcias, consignadas ao "Marinheiro A. B. C.", que receberia os bens em uma balsa em local próximo a Namquit Point e cuja identidade o capitão Arruda sentia-se na obrigação moral de preservar. O Tribunal do Vice-Almirantado em Newport, sem saber o que fazer, pois, por um lado a carga não tinha natureza de contrabando, e, por outro, o sigilo da mercadoria era ilegal, aceitou a recomendação do coletor Robinson de liberar o barco, mas impedir que aportasse nas águas de Rhode Island. Mais tarde surgiram rumores de que o navio teria sido avistado na Baía de Boston, embora nunca tenha entrado abertamente no porto do vilarejo.

O extraordinário incidente atraiu muita atenção em Providence, e eram poucos os que duvidavam da existência de alguma ligação entre a carga de múmias e o sinistro Joseph Curwen. Como as suas pesquisas exóticas e as estranhas importações químicas eram assuntos de conhecimento público, e a preferência de Curwen por cemitérios, uma suspeita comum, não seria preciso muita imaginação para associá-lo a um carregamento que não poderia ter por destinatário qualquer outro habitante do vilarejo. Como se estivesse ciente dessa crença natural, Curwen teve o cuidado de falar em várias ocasiões sobre a relevância química dos bálsamos encontrados nas múmias, imaginando talvez que, dessa forma, o assunto poderia ganhar ares menos sobrenaturais, porém, mesmo assim evitando admitir qualquer tipo de participação. Weeden e Smith, é claro, não tinham nenhuma dúvida quanto à importância do assunto, e cogitavam as mais desvairadas teorias a respeito de Curwen e dos monstruosos trabalhos que executava.

A primavera seguinte, como a do ano anterior, trouxe pesadas chuvas; e os observadores investigaram de perto as margens do rio atrás da fazenda de Curwen. Grande parte do terreno sofreu erosão, e um certo número de ossos foi descoberto, mas não houve nenhum vislumbre de câmaras ou de galerias subterrâneas. No entanto, surgiram boatos no vilarejo de Pawtuxet, cerca de um quilômetro e meio mais abaixo, onde as águas do rio despencam em cachoeiras acima de um terraço rochoso e juntam-se em uma plácida enseada rodeada de terra. Lá, onde pitorescas casas antigas escalavam a colina desde a ponte rústica e barcos de pesca dormitavam nas sonolentas docas enquanto portavam pela âncora, correu um vago relato sobre coisas que flutuavam rio abaixo e revelavam-se por um instante quando despencavam das cachoeiras. É claro que o Pawtuxet é um rio comprido que serpenteia em meio a várias regiões habitadas, repletas de cemitérios, e que as chuvas de primavera tinham sido fortes, mas os pescadores que moravam ao redor da ponte não gostaram nem um pouco da forma como uma dessas coisas olhou ao redor enquanto caía até as águas lá embaixo, nem da forma como outra gritou, embora as condições em que se encontrava apresentassem uma grotesca divergência em relação às circunstâncias de todas as coisas em geral capazes de gritar. O rumor levou Smith – pois Weeden estava em alto-mar – a apressar-se rumo às margens do rio atrás da fazenda, onde havia fartas evidências de um enorme desabamento. Não havia, entretanto, qualquer indício de uma passagem rumo ao interior da margem talhada a pique, uma vez que a diminuta avalanche tinha deixado para trás uma sólida muralha de terra e de arbustos. Smith chegou a arriscar escavações preliminares, mas foi desencorajado pelo insucesso – ou talvez pelo medo de um possível sucesso. Seria interessante cogitar o que o vingativo e persistente Weeden teria feito se estivesse em terra durante aquele período.

4.

No outono de 1770, Weeden decidiu que havia chegado a hora de contar aos outros sobre as descobertas que fizera, pois reunira um grande número de fatos correlacionados e uma segunda testemunha ocular capaz de refutar as possíveis acusações de que a inveja e a vingança teriam engendrado um desvario. Escolheu como primeiro confidente o capitão James Mathewson, do *Enterprise*, que, por um lado, conhecia-o bem o suficiente para não duvidar da veracidade da história, e, por outro, tinha influência suficiente na cidade para que o ouvissem com a devida consideração. O colóquio deu-se próximo às docas, em um dos quartos, no segundo andar da Sabin's Tavern, com Smith presente a fim de corroborar cada declaração, e sem dúvida causou uma forte impressão sobre o capitão Mathewson. Como todos os outros na cidade, o capitão tinha nutrido as mais obscuras suspeitas acerca de Joseph Curwen, e por esse motivo necessitou apenas da confirmação e da ampliação de dados para convencer-se de uma vez por todas. No fim da conferência, o capitão adotou uma expressão de gravidade extrema, e solicitou o mais estrito silêncio aos dois jovens. Segundo informou, transmitiria a informação separadamente para cerca de dez homens escolhidos entre os mais eruditos e prestigiosos cidadãos de Providence a fim de averiguar as opiniões que pudessem manifestar em relação ao assunto e de seguir quaisquer conselhos que tivessem a oferecer. A discrição seria essencial para a empreitada, pois o assunto não poderia ser resolvido pelos condestáveis ou pela milícia do vilarejo; e, acima de tudo, a multidão deveria ser mantida na mais absoluta ignorância, para que em meio a todas a essas atribulações não se corresse o risco de repetir o terrível pânico ocorrido em Salém que, menos de um século antes, levara Curwen até Providence.

As pessoas a serem informadas da situação, segundo acreditava, seriam o Dr. Benjamin West, cujo panfleto sobre o trânsito recente de Vênus havia-o consagrado como acadêmico e pensador; o reverendo James Manning, recém-chegado de Warren, diretor do College e hóspede temporário da escola na King Street enquanto aguardava o término da construção na colina acima da Presbyterian Lane; o ex-governador Stephen Hopkins, que tinha sido membro da Sociedade Filosófica de Newport e era um homem de percepções muito amplas; John Carter, o editor do *Gazette*; os irmãos John, Joseph, Nicholas e Moses Brown, reconhecidos como os quatro magnatas locais, sendo que Joseph era também um cientista amador; o velho Dr. Jabez Bowen, homem de erudição considerável e detentor de informações obtidas em primeira mão sobre as singulares compras de Curwen; e o capitão Abraham Whipple, um corsário de energia e coragem extraordinárias com quem se poderia contar para a tomada de quaisquer medidas necessárias. Esses homens, caso fossem todos favoráveis, poderiam ser reunidos em uma deliberação coletiva, e assim teriam por responsabilidade dar o veredito sobre informar ou não o governador da Colônia, Joseph Wanton, de Newport, antes de partir para a ação.

A missão do capitão Mathewson obteve um êxito muito além das expectativas mais otimistas, pois, embora um ou dois confidentes tenham recebido o aspecto possivelmente sinistro da história de Weeden com certa dose de ceticismo, todos concordaram que seria necessário tomar providências secretas e articuladas. Embora de maneira vaga, Curwen representava uma ameaça potencial para o bem-estar da cidade e da Colônia, e, portanto, devia ser eliminado a qualquer custo. No fim de dezembro de 1770, um grupo de eminentes habitantes do vilarejo reuniu-se na casa de Stephen Hopkins e debateu as medidas cabíveis. As anotações, que Weeden havia entregado ao capitão Mathewson, foram lidas com todo o cuidado; e solicitou-se que Weeden e Smith fizessem relatos e oferecessem mais detalhes. Um sentimento muito semelhante ao medo tomou conta da companhia antes que o encontro chegasse ao fim, embora esse medo fosse perpassado por uma determinação sinistra, expressa com perfeição pela bravata e pela ribombante imprecação proferida pelo capitão Whipple. Ninguém informaria o governador porque um curso de ação fora da alçada da lei parecia necessário. Devido aos poderes ocultos de extensão ignorada que tinha à disposição, Curwen não podia ser instado a abandonar a cidade de maneira segura. Retaliações inomináveis podiam vir à tona, e mesmo que a sinistra criatura obedecesse, a remoção não seria mais do que a transferência de um fardo blasfemo para outra localidade. Vivia-se em uma época sem lei, e homens que haviam zombado das forças do rei por anos a fio não hesitariam diante de coisas mais graves quando o dever chamasse. Curwen seria surpreendido na fazenda de Pawtuxet por um numeroso grupo de corsários experientes e receberia a oportunidade de se explicar de uma vez por todas. Caso se revelasse um louco, que se divertia com gritos e conversas imaginárias executadas em vozes diversas, seria devidamente trancafiado. Caso o resultado fosse mais grave, e os horrores subterrâneos de fato fossem reais, devia morrer junto com todo o restante. Tudo poderia ser feito com discrição, e sequer a viúva e seu pai saberiam o que de fato teria acontecido.

Enquanto as medidas sérias eram discutidas, ocorreu na cidade um incidente tão horrível e tão inexplicável que por um determinado tempo não se falou em mais nada por quilômetros ao redor. Durante uma noite enluarada de janeiro, com uma grossa camada de neve sob os pés, ressoou por todo o rio e por toda a colina uma série de gritos que trouxe rostos sonolentos a todas as janelas, e os moradores próximos a Weybosset Point avistaram uma enorme coisa branca executando movimentos frenéticos ao longo do espaço aberto em frente ao Turk's Head Building. Cachorros latiam ao longe, mas o alarido cessou assim que o clamor da cidade desperta tornou-se audível. Grupos de homens com lanternas e mosquetes apressaram-se para ver o que estava acontecendo, mas não encontraram nada durante as buscas. Na manhã seguinte, contudo, um enorme corpanzil musculoso e desnudo foi encontrado em meio ao acúmulo de gelo ao redor dos píeres ao sul da Great Bridge, no ponto em que a Long Dock estendia-se em frente à destilaria Abbott, e a identidade desse objeto foi tema de inúmeras especulações e sussurros. Não eram tanto os jovens, mas os velhos que sussurravam, pois apenas nos patriarcas aquele semblante impassível com olhos arregalados e repletos de horror poderia fazer soar os acordes da memória. Com tremores a varar-lhes o corpo, trocaram murmúrios furtivos de espanto e temor, pois as rígidas e horrendas feições apresentavam uma semelhança tão espantosa que chegava às raias da identidade, e essa identidade dizia respeito a um homem falecido cinquenta anos antes.

Ezra Weeden estava presente no momento da descoberta e, ao recordar os latidos da noite anterior, percorreu a Weybosset Street e atravessou a Muddy Dock Bridge de onde o som tivera origem. Tinha um curioso sentimento de expectativa e não se surpreendeu quando, chegando ao limite do distrito habitado onde a rua juntava-se à Pawtuxet Road, encontrou rastros curiosos sobre a neve. O gigante nu fora perseguido por vários cães e homens que calçavam botas, e o rastro que os animais e os donos haviam deixado na volta pôde ser traçado sem nenhuma dificuldade. A caçada fora interrompida nos arredores do vilarejo. Weeden abriu um sorriso lúgubre e, à guisa de verificação perfunctória, seguiu as pegadas de volta à origem. Era a fazenda de Joseph Curwen em Pawtuxet, como havia imaginado, e o investigador desejou que o jardim estivesse em um estado de menor arruaça. Da maneira como estava, não poderia mostrar-se demasiado curioso em plena luz do dia. O Dr. Bowen, a quem Weeden prontamente ofereceu um relatório, encarregou-se de fazer a autópsia do estranho cadáver, e assim descobriu certas peculiaridades que o deixaram estupefato. O trato digestivo do homem parecia não ter sido usado jamais, e a pele como um todo apresentava uma textura rústica e mal-ajambrada para a qual seria difícil achar uma explicação. Impressionado pelos sussurros dos velhos, que mencionavam a semelhança do cadáver com o defunto ferreiro Daniel Green, cujo bisneto Aaron Hoppin era um supervisor de carga a serviço de Curwen, Weeden fez as perguntas de praxe até descobrir onde Green fora enterrado. Na mesma noite, um grupo de dez homens visitou o antigo North Burying Ground em frente a Herrenden's Lane para abrir a sepultura. Encontraram-na vazia, precisamente como tinham antecipado.

Nesse meio-tempo, o grupo tomou as providências necessárias para que se interceptasse a correspondência de Joseph Curwen, e pouco antes do incidente do corpo desnudo fora descoberta uma carta de Jedediah Orne, de Salém, que levou os cidadãos confederados a fazerem profundas reflexões. Partes dessa missiva, copiadas e preservadas nos arquivos privados da família Smith, onde Charles Ward a encontrou, diziam o seguinte:

"Alegro-me que o senhor continue no estudo de Antigos Casos com seu método e não penso que melhor tenha sido feito na casa do senhor Hutchinson, na vila de Salém. Certamente, nada havia senão o mais vivo horror no que H. evocou daquilo que só pudemos compreender em parte. O que o senhor enviou não funcionou, ou porque alguma coisa estava faltando, ou porque as palavras que pronunciei ou que o senhor copiou não estavam certas. Sozinho fico sem saber. Não possuo as artes químicas para imitar Borellus e confesso que fiquei confuso com o VII Livro do *Necronomicon* que o senhor recomenda. Mas gostaria que observasse o que nos foi dito a respeito de quem chamar, pois o senhor tem conhecimento do que o Sr. Mather escreveu nos Marginalia de_____, e pode julgar quão fielmente a Horrenda Coisa está relatada. Recomendo-lhe mais uma vez que não evoque ninguém que não possa mandar de volta; com isso quero dizer, ninguém que por sua vez possa chamar algo contra o senhor e contra o qual seus mais poderosos artifícios não seriam de uso algum. Chame os menores para que os maiores não desejem responder e sejam mais poderosos do que o senhor. Fiquei assustado quando li que o senhor sabe o que Ben Zaristnatmik tem em sua Caixa de Ébano, pois estou ciente de quem lhe deve ter contado. E novamente peço-lhe que me escreva como Jedediah e não como Simon. Nessa comunidade um homem pode não viver por muito tempo, e o senhor conhece meu Plano, pelo qual voltei como meu Filho. Desejaria que me fizesse conhecer o que o Homem Negro aprendeu com Sylvanus Cocidius na cripta debaixo do muro romano e ficaria grato se me emprestasse o manuscrito de que o senhor fala."

Outra carta sem assinatura franqueada na Filadélfia provocou o mesmo sentimento, em especial devido à seguinte passagem:

"Observarei o que o senhor diz com respeito ao envio das contas unicamente por seus navios, mas não pode saber ao certo quando deverá esperá-las. Quanto ao assunto de que fala, quero apenas mais uma coisa, mas desejo ter certeza de que o entendo perfeitamente. O senhor me informa que nenhuma parte deve estar faltando para que se obtenham os melhores efeitos, mas o senhor deve saber como é difícil ter certeza. Parece muito perigoso e uma tarefa muito pesada levar toda a caixa, e na cidade (ou seja, na Igreja de São Pedro, São Paulo, Santa Maria e na Igreja de Cristo) isto não pode ser feito. Mas sei das imperfeições daquele que foi retirado em outubro passado e quantos espécimes vivos o senhor foi obrigado a empregar antes de chegar ao método certo no ano de 1766; portanto, seguirei suas orientações em todas as questões. Aguardo com impaciência seu brigue e indago todos os dias no cais do senhor Biddle."

Uma terceira carta suspeita estava escrita em um idioma e até mesmo em um alfabeto desconhecido. No diário de Smith, encontrado por Charles Ward, uma única combinação de caracteres encontra-se copiada repetidas vezes; os especialistas da Brown University declararam que o alfabeto deve ser amárico ou abissínio, embora não tenham reconhecido a palavra. Nenhuma dessas epístolas jamais foi entregue a Curwen, embora o desaparecimento de Jedediah Orne em Salém, conforme atestam os registros da época, demonstre que os homens de Providence tomaram a iniciativa necessária. A Sociedade Histórica da Pensilvânia também dispõe de algumas cartas curiosas recebidas pelo Dr. Shippen relativas à presença de um personagem insalubre. No entanto, os passos mais decisivos permaneciam vagos, e é na reunião secreta entre marinheiros fiéis e conhecidos e velhos e leais corsários que se deu à noite, nos armazéns de Brown, que devemos buscar os principais resultados das revelações de Weeden. Não restavam dúvidas de que havia um plano de campanha com o objetivo de obliterar todos os resquícios dos mistérios nefastos de Joseph Curwen.

Curwen, apesar de todas as precauções, deve ter percebido alguma coisa no ar, pois testemunhas relatam que a partir daquele momento passou a ter a marca de uma grande preocupação estampada no semblante. O coche era visto a todas as horas do dia na cidade e na Pawtuxet Road, e aos poucos o homem abandonou o forçado bom humor com que nos últimos tempos vinha tentando combater o preconceito do vilarejo. Os vizinhos mais próximos da fazenda – os Fenner – perceberam, certa noite, um grande facho de luz projetar-se rumo ao céu a partir de uma abertura no teto da misteriosa construção em pedra com as frestas elevadas à guisa de janelas; um acontecimento que não tardaram a relatar a John Brown em Providence. O Sr. Brown assumira o cargo de líder do seleto grupo dedicado à aniquilação de Curwen, e nessa condição informou aos Fenner que alguma providência seria tomada.

Julgou que esse seria um passo necessário em função da impossibilidade de evitar que a família testemunhasse a invasão final, e o Sr. Brown explicou a providência, alegando que Curwen era um espião dos oficiais da alfândega em Newport, contra quem os punhos de todos os expedidores, comerciantes e fazendeiros de Providence estavam erguidos em segredo. Não se sabe se o artifício recebeu crédito da parte dos vizinhos que já haviam testemunhado inúmeros fenômenos estranhos, mas, de qualquer forma, os Fenner estavam dispostos a associar qualquer tipo de mal com um homem de hábitos tão estranhos. O Sr. Brown pediu que vigiassem a propriedade rural de Curwen e que relatassem quaisquer incidentes ocorridos no local.

5.

    A possibilidade de que Curwen estivesse de guarda e tentando manobras fora do comum, sugerida pelo singular facho de luz, precipitou enfim a ação cuidadosamente orquestrada pelo grupo de cidadãos solenes. Segundo o diário de Smith, uma companhia de cerca de cem homens encontrou-se às dez da noite, na sexta-feira, 12 de abril de 1771, no grande salão da Thurston's Tavern junto à Insígnia do Leão Dourado em Weybosset Point, do outro lado da ponte. Além do líder John Brown, encontravam-se presentes nesse grupo de homens célebres o Dr. Bowen, com a maleta de instrumentos cirúrgicos, o diretor Manning, destituído da grande peruca (a maior de todas as Colônias) pela qual era conhecido, o governador Hopkins, envolto em um manto escuro e acompanhado pelo irmão Esek, um desbravador dos mares, convocado de última hora, com a aprovação de todos os restantes, John Carter, o capitão Mathewson e o capitão Whipple, que seria o líder do grupo encarregado da invasão. Os homens deliberaram em um cômodo nos fundos da taverna, e por fim o capitão Whipple retornou ao grande salão para dar as últimas instruções e solicitar os últimos juramentos de lealdade aos marujos presentes. Eleazar Smith estava com os líderes quando eles se sentaram no cômodo de fundos à espera de Ezra Weeden, encarregado de vigiar Curwen a fim de avisar quando o coche deixasse a fazenda.

    Por volta das dez e meia, ouviu-se um forte estrondo na Great Bridge, seguido pelo som de um coche na rua lá fora; àquela altura não havia necessidade de esperar por Weeden para saber que o condenado havia partido rumo à sua última noite de feitiçaria profana. No momento seguinte, enquanto o coche se afastava com certo estrépito pela Muddy Dock Bridge, Weeden apareceu e, em silêncio, os invasores assumiram uma formação militar na rua, tendo nos ombros os arcabuzes, mosquetes ou arpões baleeiros que traziam consigo. Weeden e Smith estavam junto com o grupo, e entre os cidadãos da assembleia deliberativa que haviam se disposto a desempenhar um papel ativo na operação estavam o capitão Whipple, na condição de líder, o capitão Esek Hopkins, John Carter, o diretor

Manning, o capitão Mathewson e o Dr. Bowen, assim como Moses Brown, que havia aparecido às onze horas a despeito da ausência na sessão preliminar na taverna. Todos os homens livres e a centena de marujos puseram-se em marcha sem mais delongas, com uma expressão grave e um pouco apreensiva enquanto deixavam Muddy Dock para trás e escalavam a suave inclinação da Broad Street em direção à Pawtuxet Road. Logo depois da igreja de Elder Snow, alguns dos homens olharam para trás e lançaram um olhar de despedida em direção a Providence, que se estendia sob as estrelas do início da primavera. Campanários e torres se erguiam em silhuetas negras e graciosas, e brisas marítimas sopravam da enseada ao norte da ponte. Vega subia a grande colina na margem oposta, cujo pico verdejante era interrompido pelo telhado do prédio ainda inacabado da universidade. No pé da colina, e ao longo das estreitas vielas que subiam a encosta, a velha cidade sonhava – a velha Providence, em nome de cuja segurança e sanidade uma blasfêmia monstruosa e colossal estava prestes a ser extinta.

Uma hora e quinze minutos mais tarde, os invasores chegaram, como haviam combinado, à fazenda dos Fenner, onde ouviram o último relato sobre a vítima pretendida. Curwen havia chegado à fazenda há mais de meia hora, e logo a seguir o estranho facho de luz fora mais uma vez avistado no céu, embora não houvesse luz em nenhuma das janelas visíveis. Nos últimos tempos era sempre assim. No mesmo instante em que a notícia era relatada, mais um grande clarão ergueu-se em direção ao sul, e os homens do grupo perceberam que de fato haviam chegado próximo ao palco de portentos inacreditáveis e sobrenaturais. Nesse momento, o capitão Whipple ordenou que o grupo fosse separado em três divisões; uma, formada por vinte homens e comandada por Eleazar Smith, foi encarregada de cruzar a margem e proteger o local da aportagem contra possíveis reforços mandados por Curwen até que um mensageiro a chamasse de volta para executar um serviço desesperado; a segunda, formada por vinte homens e comandada pelo capitão Esek Hopkins, foi encarregada de se esgueirar até o vale atrás da fazenda de Curwen e demolir, com machados ou pólvora, a porta de carvalho na margem elevada; e a terceira foi encarregada de cercar a casa e as construções adjacentes. Um terço da última divisão seria liderado pelo capitão Mathewson em uma incursão até o críptico edifício de pedra com frestas elevadas à guisa de janelas; outro terço seguiria o capitão Whipple até a casa principal, e o terço restante permaneceria disposto em um círculo ao redor de todo o grupo de construções até que fosse chamado pelo derradeiro sinal de emergência.

O grupo do rio arrombaria a porta na encosta do morro ao ouvir o primeiro sopro de um apito, e a seguir permaneceria de tocaia a fim de capturar o que quer que pudesse sair das regiões subterrâneas. Ao som do segundo sopro de apito, o grupo avançaria pela brecha a fim de enfrentar o inimigo ou juntar-se ao restante do contingente invasor. O grupo da construção de pedra receberia os respectivos sinais de maneira análoga, forçando a entrada no primeiro e, no segundo, descendo por qualquer passagem subterrânea que pudesse ser descoberta a fim de juntar-se ao combate geral ou local que deveria eclodir no interior das cavernas. Um terceiro sinal de emergência, que consistia em três sopros de apito, serviria para convocar a reserva que estaria de guarda, composta por vinte homens que se dividiriam e adentrariam as profundezas desconhecidas tanto pela fazenda como também pela construção de pedra. A crença do capitão Whipple na existência das catacumbas era absoluta, e portanto não havia outra alternativa contemplada nos planos. O capitão tinha consigo um apito de som estridente e altissonante, e não temia nenhum mal-entendido em relação aos sinais. A reserva final no local da aportagem, claro, estava além do alcance do instrumento, e por esse motivo dependeria de um mensageiro, caso sua ajuda fosse necessária. Moses Brown e John Carter foram com o capitão Hopkins até a margem do rio, enquanto o diretor Manning seguiu com o capitão Mathewson rumo à construção de pedra. O Dr. Bowen permaneceu com Ezra Weeden no grupo do capitão Whipple, encarregado de invadir a fazenda. O ataque começaria assim que o mensageiro do capitão Hopkins se juntasse ao capitão

Whipple e anunciasse que o grupo do rio estava de prontidão. O líder então faria soar o primeiro apito, e os vários grupos lançariam ataques simultâneos nos três locais. Pouco antes da uma hora da manhã, as três divisões saíram da casa dos Fenner; um destinado a defender o local da aportagem, outro a buscar o vale e a porta na encosta e o terceiro a subdividir-se e vigiar as construções na propriedade de Curwen.

Eleazar Smith, que acompanhava o grupo encarregado de defender a margem, registrou no diário uma marcha sem nenhum contratempo e uma longa espera no outeiro junto à baía, interrompido uma vez pelo que parecia ser o som distante do apito sinalizador e depois por uma mistura peculiar de gritos e urros abafados com uma explosão de pólvora que parecia ter vindo da mesma direção. Mais tarde, um dos homens imaginou ter ouvido tiros ao longe, e ainda mais tarde o próprio Smith sentiu a reverberação de palavras titânicas e tonitruantes que ressoaram pelo ar. Pouco antes do amanhecer, um mensageiro solitário e exausto com o olhar desvairado e um pavoroso e desconhecido odor a exalar das roupas apareceu e insistiu em pedir que o destacamento se dispersasse em silêncio, voltasse para casa e nunca mais pensasse ou falasse sobre os acontecimentos daquela noite ou sobre aquele que tinha sido Joseph Curwen. Alguma coisa na maneira como o mensageiro se portava transmitiu uma convicção mais profunda do que as palavras seriam capazes de fazer, pois, embora fosse um marinheiro conhecido por vários dos homens presentes, notou-se uma perda ou um ganho de dimensões sombrias na alma do pobre homem, que a partir de então seria eternamente um pária. O mesmo tornou a acontecer mais tarde quando encontraram velhos companheiros que haviam adentrado aquela região de horror. A maioria sofrera uma perda ou um ganho imponderável e indescritível. Tinham visto, ouvido ou sentido coisas que não se destinavam às criaturas humanas, e, portanto, jamais poderiam esquecer. Aqueles homens jamais contaram histórias, pois existem barreiras terríveis até mesmo para os mais comezinhos instintos mortais. E, por conta desse mensageiro solitário, o grupo da margem foi tomado por um espanto inefável que por pouco não selou os lábios de todos. Os boatos espalhados pelos homens são parcos, e o diário de Eleazar Smith é o único registro escrito remanescente de toda a expedição que partiu da Insígnia do Leão Dourado sob a luz das estrelas.

Charles Ward, no entanto, descobriu um detalhe vago e interessante em uma correspondência dos Fenner encontrada em New London, onde sabia que outra parte da família tinha vivido. Parece que os Fenner, de cuja residência avistava-se à distância a fazenda condenada, tinham observado o avanço das colunas de invasores, e ouviram claramente os latidos furiosos dos cachorros de Curwen, seguidos pelo estridente sinal que precipitou o ataque. O primeiro apito foi seguido por uma repetição do grande facho de luz na construção de pedra, e, em outro momento, após o sinal de duas breves notas que deu a ordem para a invasão geral, ouviu-se um rumor abafado de mosquetes seguido por um rugido horrendo, que o correspondente Luke Fenner representou na epístola mediante o emprego dos caracteres "Waaaahrrrrr-R'waaahrr".

O grito, no entanto, revestia-se de uma qualidade que não se deixava representar pela mera escrita, e o correspondente afirma ter visto a própria mãe desfalecer ao ouvir o som. Mais tarde, repetiu-se com menos intensidade, e a seguir vieram outros indícios ainda mais abafados de disparos, seguidos por uma explosão de pólvora na direção do rio. Cerca de uma hora mais tarde, os cachorros puseram-se todos a latir freneticamente, e o chão sofreu abalos capazes de fazer os castiçais balançarem na cornija da lareira. Havia um forte odor de enxofre, e o pai de Luke Fenner declarou ter escutado o terceiro apito, mesmo que os outros não tenham percebido nada. Logo vieram mais sons abafados de mosquetes, seguidos por um grito menos estridente, mas ainda mais horrível do que aquele que o havia precedido; uma espécie de tossido ou gorgolejo plástico e gutural, cuja definição como grito deveu-se mais à continuidade e ao impacto psicológico que causou do que propriamente à configuração acústica.

Então, a coisa em chamas surgiu no ponto exato onde devia estar a fazenda de Curwen, e ouviram-se os gritos humanos de homens tomados pelo horror e pelo desespero. Os mosquetes dispararam em meio a clarões e estampidos, e a coisa flamejante caiu ao chão. Logo, uma segunda coisa flamejante apareceu, e um berro de origem claramente humana fez-se ouvir. Fenner relatou ter conseguido distinguir algumas palavras vomitadas em meio ao frenesi: "Todo-poderoso, protege o teu cordeiro!" A seguir vieram mais tiros, e a segunda coisa flamejante tombou. Fez-se então um silêncio de cerca de quarenta e cinco minutos, e, ao fim desse intervalo, o pequeno Arthur Fenner, irmão de Luke, afirmou aos gritos ter visto uma "névoa vermelha" deixar a amaldiçoada fazenda ao longe para se alçar rumo às estrelas. Não existe nenhuma outra testemunha do fenômeno além do menino, mas Luke reconhece que o momento coincidiu com o pânico e o desespero quase convulsivo que, no mesmo instante, levou os três gatos no recinto a arquear as costas e eriçar os pelos.

Cinco minutos depois, um vento gélido soprou, e a atmosfera foi impregnada por um fedor insuportável que apenas o intenso frescor do oceano poderia ter impedido de chegar até o grupo da margem ou a qualquer outra alma desperta no vilarejo de Pawtuxet. O fedor jamais fora percebido por qualquer um dos Fenner, e produziu uma espécie de medo amorfo e paralisante muito além daquele provocado pelo túmulo ou pelo cemitério. Em seguida, veio a terrível voz que nenhuma das desafortunadas testemunhas jamais poderá esquecer. Ribombou pelo céu como uma maldição, e as janelas estremeceram à medida que os ecos se dissipavam. Era uma voz grave e musical; poderosa como as notas graves de um órgão, porém maléfica como os livros proscritos dos árabes. Ninguém saberia o que ela dizia, pois falou em uma língua desconhecida, mas eis as palavras que Luke Fenner consignou à escrita a fim de retratar as invocações demoníacas: "DEES MEES – JESHET – BONEDOSEFEDUVEMA –ENTTEMOSS". Até o ano de 1919 não houve ninguém capaz de relacionar essa transcrição a qualquer outro conhecimento mortal, porém, Charles Ward empalideceu ao reconhecer o que Mirandola denunciara em meio a tremores como sendo o horror supremo dentre todos os feitiços da magia negra.

Um grito inconfundivelmente humano ou um brado profundo repetido em coral pareceu responder a esse prodígio maligno na fazenda de Curwen, e a seguir o fedor desconhecido tornou-se mais denso mediante o acréscimo de um novo odor em igual medida insuportável. No instante seguinte, ecoou um uivo marcadamente distinto do grito, que permaneceu ululando em paroxismos ascendentes e descendentes. Às vezes, tornava-se quase articulado, embora nenhuma testemunha tenha conseguido compreender palavras coerentes; e, em certo ponto, pareceu chegar às raias de uma gargalhada histérica e diabólica. Então um urro de terror supremo e absoluto somado à loucura consumada foi arrancado de vintenas de gargantas humanas – um urro ouvido de maneira clara e distinta apesar das profundezas de que devia ter emergido; e, a seguir, a escuridão e o silêncio envolveram tudo. Espirais de fumaça acre subiram e encobriram as estrelas, embora não se visse nenhuma chama e nenhuma construção estivesse desaparecida ou danificada no dia seguinte.

Próximo ao amanhecer, dois mensageiros assustados, com odores monstruosos e inidentificáveis que lhes saturavam as roupas, bateram à porta dos Fenner e pediram um barril de rum, pelo qual pagaram uma soma considerável. Um deles contou à família que os assuntos relativos a Joseph Curwen estavam encerrados, e que os acontecimentos daquela noite jamais deveriam ser mencionados outra vez. Por mais arrogante que parecesse a ordem, o aspecto de quem a proferiu afastou todo tipo de ressentimento e transmitiu uma autoridade terrível, de modo que apenas as furtivas cartas de Luke Fenner, que solicitou a um parente de Connecticut que as destruísse, restaram para contar a história do que foi visto e ouvido.

Foi a relutância do parente em seguir essa instrução, graças à qual as cartas foram salvas, que impediu o assunto de cair em um misericordioso esquecimento. Mas Charles Ward tinha um detalhe a acrescentar depois de longos questionamentos feitos aos

residentes de Pawtuxet acerca das tradições ancestrais. O velho
Charles Slocum, habitante do vilarejo, disse que o avô estava a par
de um estranho boato a respeito de um corpo distorcido e carbonizado que aparecera nos campos uma semana depois que a morte de
Joseph Curwen veio a público. O que motivava os boatos era a ideia
de que o corpo, mesmo na situação retorcida e queimada em que se
encontrava, não parecia nem humano nem relacionado a qualquer
outro animal que as pessoas de Pawtuxet jamais tivessem visto ou
lido a respeito.

6.

Nenhum dos homens que participaram da terrível invasão jamais pôde ser convencido a dizer uma única palavra a respeito do
que aconteceu, e todos os fragmentos das vagas informações que
sobreviveram vêm de fontes exteriores ao grupo que participou do
derradeiro combate. Existe algo de assustador no cuidado com que
os invasores destruíram todos os fragmentos que pudessem fazer
qualquer alusão ao assunto. Oito marinheiros haviam sido mortos,
mas, embora os corpos jamais tenham sido entregues, as famílias
pareceram dar-se por satisfeitas com a explicação de que houvera
um conflito com os oficiais da alfândega. O mesmo tratamento
foi dispensado aos numerosos casos de ferimentos, todos limpos e
tratados apenas pelo Dr. Jabez Bowen, que tinha acompanhado o
grupo. O mais difícil de explicar, no entanto, era o fedor inefável
que exalava de todos os invasores – um assunto que foi discutido
por semanas. Dentre os líderes dos cidadãos, o capitão Whipple e
Moses Brown sofreram os ferimentos mais graves, e as cartas das
respectivas esposas oferecem um testemunho da reticência e da
discrição com que as bandagens eram tratadas. Em termos psicológicos, todos os participantes sentiam-se mais velhos, mais sóbrios
e mais abalados. Por sorte, eram todos robustos homens de ação e
religionários simples e ortodoxos, pois, com uma disposição maior
à introspecção sutil e à complexidade mental, o resultado teria
sido desastroso. O diretor Manning foi quem mais se perturbou,

mas, como os outros, conseguiu vencer a sombra mais obscura e sufocar as lembranças nas orações. Todos os líderes tiveram papéis importantes a desempenhar nos anos vindouros, e pode ser que tenha sido melhor assim.

Pouco mais de um ano depois, o capitão Whipple liderou a multidão que incendiou o navio da receita *Gaspee*, e, nesse ato de coragem, podemos notar um passo em direção ao apagamento das imagens deletérias.

À viúva de Joseph Curwen foi entregue um caixão de chumbo de estranho formato, com certeza disponível no momento necessário, e dito que o corpo do marido se encontrava lá dentro. Segundo a explicação oferecida, Curwen tinha sido morto em uma batalha política a respeito da qual mais detalhes não seriam oferecidos. Não se falou mais sobre o fim de Joseph Curwen, e Charles Ward dispunha de uma única pista para elaborar uma teoria. A pista consistia apenas em uma vaga sugestão – a linha trêmula que sublinhava uma passagem na carta interceptada de Jedediah Orne para Curwen, copiada em parte na caligrafia de Ezra Weeden. A cópia estava em posse dos descendentes de Smith, e cabe a nós decidir se Weeden a entregou ao companheiro após o fim, como uma pista tácita a respeito da anormalidade que havia ocorrido, ou se, como parece mais provável, Smith já dispunha da cópia e apenas sublinhou a passagem com base nas informações que conseguiu arrancar do amigo à base de conjecturas sagazes e habilidosos questionamentos. A passagem sublinhada consiste apenas no que segue:

"Recomendo-lhe mais uma vez que não evoque ninguém que não possa mandar de volta; com isso quero dizer, ninguém que por sua vez possa chamar algo contra o senhor e contra o qual seus mais poderosos artifícios não seriam de uso algum. Chame os menores para que os maiores não desejem responder e sejam mais poderosos do que o senhor."

À luz dessa passagem, e depois de refletir sobre os últimos aliados que um homem derrotado poderia tentar invocar na mais extrema necessidade, Charles Ward pode muito bem ter se perguntado se algum morador de Providence teria assassinado Joseph Curwen.

A supressão deliberada de todas as memórias do morto na vida e nos anais de Providence recebeu amplo incentivo graças à influência dos líderes da invasão. A princípio, nenhum dos homens pretendia levar a cabo um projeto muito abrangente, e assim permitiram que a viúva e a filha permanecessem alheias à situação real; mas o capitão Tillinghast era um homem perspicaz, e logo descobriu boatos suficientes para acirrar o horror e levá-lo a pedir que a filha e a neta trocassem de nome, queimassem a biblioteca e todos os papéis remanescentes e apagassem a inscrição entalhada na lápide de Joseph Curwen. Conhecia bem o capitão Whipple e provavelmente obteve mais pistas do marinheiro sincero do que qualquer outra pessoa jamais conseguiu em relação ao fim do feiticeiro maldito.

A partir de então, a obliteração da memória de Curwen tornou-se cada vez mais sistemática, e, por fim, estendeu-se, de comum acordo, aos registros da cidade e aos arquivos do *Gazette*. Poderia ser comparada em espírito somente ao silêncio que pairou sobre o nome de Oscar Wilde na década seguinte à desgraça do irlandês, e em extensão somente ao destino do pecaminoso rei de Runazar no conto de Lord Dunsany, que, pela vontade dos deuses, precisou não apenas deixar de existir, mas negar que um dia tivesse existido.

A Sra. Tillinghast, como ficou conhecida a viúva a partir de 1772, vendeu a casa de Olney Court e passou a morar com o pai em Power's Lane até morrer no ano de 1817. A fazenda em Pawtuxet, temida por todas as pessoas da região, permaneceu abandonada ao longo dos anos, e parecia degradar-se com uma rapidez inexplicável. Em 1780, somente as pedras e os tijolos permaneciam de pé, e em 1800 tudo se reduzira a montes de entulho. Ninguém se aventurava a penetrar o denso matagal à margem do rio que devia ocultar a porta na encosta, e tampouco se dispôs a estabelecer uma imagem bem definida das cenas em meio às quais Joseph Curwen abandonou os horrores que havia perpetrado.

Apenas o velho e robusto capitão Whipple às vezes balbuciava, como que para si mesmo, na presença de ouvintes atentos: "Que aquele... morresse de sífilis, ele não tinha que rir enquanto gritava. Era como se o excomungado... tivesse um trunfo na manga. Por meia coroa eu botaria fogo em sua... casa".

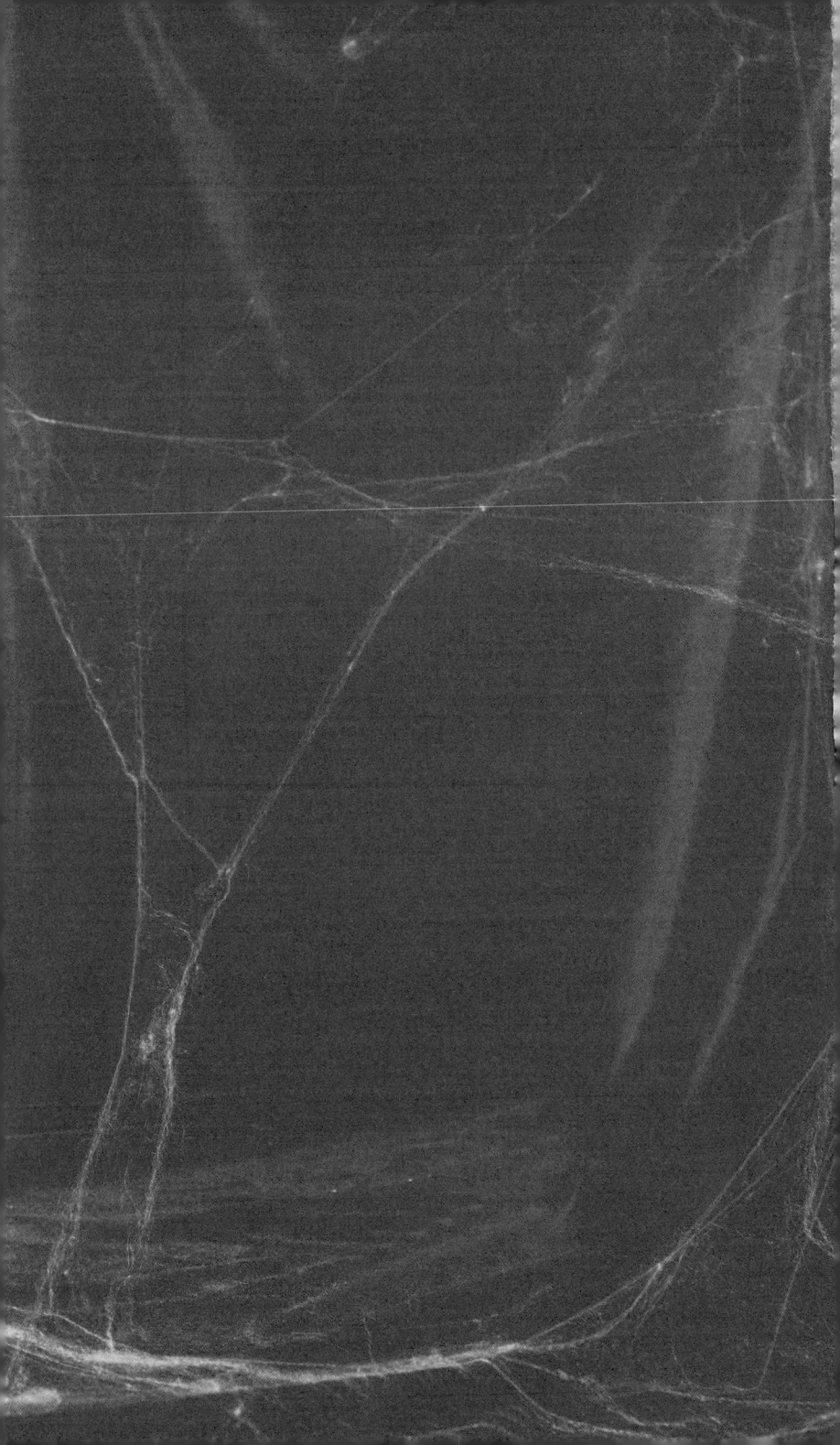

3
Uma busca e uma evocação

1.

Charles Ward, como sabemos, descobriu apenas em 1918 que era descendente de Joseph Curwen. Não causa nenhum espanto o profundo interesse que desenvolveu por tudo o que dizia respeito ao mistério de um tempo passado, pois cada boato vago que ouvira a respeito de Curwen passou a ser algo vital para si, uma vez que o sangue de Curwen corria em suas veias. Nenhum genealogista espirituoso e imaginativo poderia ter feito outra coisa que não se lançar de imediato em uma ávida e sistemática coleta de dados relativos a Curwen.

Nos primeiros momentos, não houve nenhuma tentativa de sigilo – motivo pelo qual o Dr. Lyman hesita em situar a loucura do jovem em qualquer período anterior ao fim de 1919. Charles Ward discutia o assunto com a família – embora a ideia de ter um ancestral como Curwen não agradasse à mãe – e com os funcionários dos museus e das bibliotecas que visitava. Ao solicitar os arquivos pessoais das famílias que podiam estar em posse deles, não fazia escondia o motivo da busca, e compartilhava do ceticismo irônico com que os relatos dos antigos diários e cartas eram vistos. Muitas vezes expressava profundo espanto em relação ao que teria ocorrido um século e meio atrás naquela fazenda em Pawtuxet cuja localização esforçava-se em vão por encontrar, bem como em relação à natureza exata do que Joseph Curwen teria sido.

Quando encontrou o diário e os arquivos de Smith e descobriu a carta de Jedediah Orne, Charles Ward decidiu visitar Salém e empreender uma pesquisa sobre as primeiras atividades e ligações de Curwen na cidade, o que de fato ocorreu no feriado de Páscoa de 1919. No Essex Institute, que conhecera em outros passeios à glamorosa cidade antiga de empenas puritanas decrépitas e grandes concentrações de mansardas, Ward foi recebido com muita gentileza, e encontrou um volume considerável de dados acerca de Curwen. Descobriu que o antepassado havia nascido em Salem-Village, hoje Danvers, a cerca de dez quilômetros da cidade no dia 18 de fevereiro (no antigo calendário juliano) de 1662–1663, e que fugira para o mar aos quinze anos para voltar apenas nove anos mais tarde, com o sotaque, as roupas e os modos de um inglês nativo para estabelecer-se em Salém. Na época, Joseph Curwen tinha pouco contato com a família e passava a maior parte do tempo com os singulares livros que havia trazido da Europa e com os estranhos produtos químicos que chegavam em navios da Inglaterra, da França e da Holanda. Certas viagens ao interior atiçaram a curiosidade local, e, mais tarde, foram associadas em tom de lamento aos vagos boatos sobre as fogueiras avistadas à noite nas colinas.

Os únicos amigos próximos de Curwen haviam sido um certo Edward Hutchinson, de Salem-Village, e um certo Simon Orne, de Salém. Era visto com frequência na companhia desses homens nas áreas comuns da cidade, e as visitas entre os amigos não eram raras. Hutchinson tinha uma casa na orla da floresta que era evitada pelos habitantes mais sensíveis em função dos sons que lá se ouviam à noite. Corriam boatos de que recebia estranhos visitantes, e as luzes vistas nas janelas não eram sempre da mesma cor. O conhecimento que detinha a respeito de pessoas falecidas muito tempo antes e de acontecimentos havia muito esquecidos, em particular, era tido por insalubre. Desapareceu na época em que começou o pânico da bruxaria, sem que nunca mais se tivessem notícias a seu respeito. Por volta daquela época, Joseph Curwen também se afastou da cidade, mas o novo endereço em Providence logo veio a público. Simon Orne morou em Salém até 1720, quando a extraordinária capacidade de não sucumbir ao envelhecimento começou a chamar atenção. A seguir, desapareceu, embora trinta anos mais tarde um homem de feições e porte idênticos, que se disse filho do desaparecido, tenha surgido para reivindicar as posses do pai. A reivindicação foi atendida em virtude da existência de documentos escritos com a caligrafia do próprio Simon Orne, e Jedediah Orne continuou morando em Salém até 1771, quando cartas enviadas por moradores de Providence ao reverendo Thomas Barnard e a outras pessoas de renome culminaram no afastamento sigiloso rumo a um destino ignorado.

Certos documentos escritos por todos esses estranhos personagens, somados a outros acerca dos três, encontravam-se disponíveis no Essex Institute, no Fórum e no Cartório de Registro de Títulos e Documentos, e incluíam não apenas trivialidades inofensivas como a escritura de terrenos e recibos de venda, mas também fragmentos furtivos de natureza mais provocadora. Havia quatro ou cinco alusões inconfundíveis aos três nos registros dos julgamentos de bruxaria; como, por exemplo, quando um certo Hepzibah Lawson afirmou, no dia 10 de julho de 1692, no tribunal de Oyer e Terminer presidido pelo juiz Hathorne, que "quarenta bruxas e o Homem Negro foram vistos reunir-se nos bosques atrás da casa do senhor Hutchinson", ou quando um certo Amity How declarou, na sessão do dia 8 de agosto, diante do juiz Gedney, que "o senhor G. B. (George Burroughs) naquela noite colocou a Marca do Diabo em Bridget S., Jonathan A., *Simon O.*, Deliverance W., *Joseph C.*, Susan P., Mehitable C., e Deborah B". Havia também um catálogo da impressionante biblioteca de Hutchinson, encontrado após o desaparecimento, e um manuscrito inacabado em sua caligrafia, em uma cifra que ninguém fora capaz de ler. Ward solicitou uma cópia fotostática desse manuscrito e começou a trabalhar ocasionalmente na cifra assim que ela lhe foi entregue. Passado o agosto seguinte, o empenho dedicado à cifra tornou-se intenso e febril, e a fala e a conduta de Ward davam motivos para crer que conseguira encontrar uma solução antes de outubro ou novembro. Mesmo assim, o próprio Ward jamais revelou se obteve ou não sucesso.

Porém, o material de interesse imediato era o que dizia respeito a Orne. Em pouco tempo Ward conseguiu determinar, por meio da identidade da caligrafia, o que já dava por certo em função da carta endereçada a Curwen – a saber, que Simon Orne e o suposto filho eram na verdade a mesma e única pessoa. Como Orne dissera ao correspondente, seria muito arriscado permanecer em Salém; a seguir, recorreu a uma estada de trinta anos no exterior e não voltou mais para reivindicar as posses que tinha acumulado, a não ser como representante de uma geração posterior. Ao que tudo indicava, Orne havia tomado o cuidado de destruir a maior parte da correspondência, mas os cidadãos que participaram da ação em 1771 encontraram cartas e documentos que despertaram perplexidade. Havia fórmulas e diagramas crípticos na caligrafia de Orne e de outras pessoas, que Ward copiou minuciosamente ou mandou fotografar, e uma carta misteriosa ao extremo em uma caligrafia que o investigador reconheceu como sendo de Joseph Curwen graças a alguns registros com a caligrafia que estavam no Cartório de Registro de Títulos e Documentos.

Essa carta de Curwen, embora não trouxesse nenhuma indicação de ano, com certeza não era a que havia suscitado a missiva confiscada; e, graças a evidências internas, Ward estabeleceu que não devia ter sido escrita muito depois de 1750. Talvez não seja despropositado reproduzir o texto na íntegra a fim de exemplificar o estilo de um homem cuja história foi tão obscura e tão terrível. O destinatário foi identificado como "Simon", mas existe uma linha (Ward não descobriu se feito por Curwen ou por Orne) que risca o nome de lado a lado.

Providence, primeiro de maio (Ut. vulgo)

IRMÃO – Meu honrado e velho amigo, meus devidos respeitos e sinceras saudações àquele que servimos para seu eterno poder. Acabo de descobrir aquilo que o senhor deve saber, referente ao funesto transe e ao que é preciso fazer a respeito. Não estou disposto a segui-lo e partir por causa de minha idade, pois Providence não tem a agudeza do latido na perseguição de coisas incomuns e em seu julgamento. Estou atarefado com navios e mercadorias e não poderia fazer como o senhor e, além disso, debaixo de minha fazenda em Pawtuxet está aquilo que o senhor sabe não esperaria que eu voltasse como outra pessoa. Mas estou disposto a enfrentar tempos difíceis, como lhe disse, e tenho trabalhado muito sobre a maneira de reaver o que perdi. Na noite passada, descobri as palavras que evocam YOGGE-SOTHOTHE e vi pela primeira vez aquele rosto de que fala Ibn Schacabac no_____. E ELE disse que o III Salmo no *Liber-Damnatus* tem a Clavícula. Com o Sol na V casa, Saturno na tríade, desenhe o Pentagrama do Fogo e pronuncie e nono verso três vezes. Repita esse verso na véspera do dia da Cruz e de Todos os Santos e a coisa se multiplicará nas esferas exteriores. E da semente do velho nascerá Um que olhará para trás embora não saiba o que busca. Isso de nada servirá se não houver um herdeiro e se os sais, ou a maneira de fazer os sais, não estiverem à mão. E nesse caso admito que não tomei as medidas necessárias nem descobri muito. É muito difícil fazer com que o processo funcione, e ele utiliza tamanha multiplicidade de espécies que tenho dificuldades em encontrá-las em quantidade suficiente, não obstante os marinheiros das índias que eu tenho. As pessoas daqui são curiosas, mas consigo enganá-las. Os senhores de boa família são piores do que a população, pois têm mais informações e as pessoas respeitam mais o que eles dizem. Temo que o pastor e o Sr. Merritt tenham comentado algo, mas até o momento não há perigo. As substâncias químicas são fáceis de se conseguir, havendo dois bons apotecários na cidade, o Dr. Bowen e Sam Carew. Estou seguindo o que *Borellus* diz e disponho do auxílio do VII Livro de Abdul Al-Hazred. O que eu obtiver, o senhor também terá. E no meio-tempo não deixe de usar as palavras que dei aqui. Elas estão certas, mas, se desejar vê-lo, empregue o que escrevi no pedaço de_____, que estou enviando nesse pacote. Diga os versos na véspera de cada dia da Cruz e de Todos os Santos e, se sua linhagem não acabar, nos anos por vir aparecerá aquele que olhará para trás e usará os sais ou a matéria dos sais que tu lhe deixar es. Jó, XIV, 14. Alegro-me que o senhor esteja novamente em Salém e espero poder vê-lo em breve. Tenho um bom garanhão e estou pensando em comprar um coche, pois já há um (o do Sr. Merritt) em Providence, embora as estradas sejam ruins. Se estiver disposto a viajar, não deixe de me prestar uma visita. De Boston, pegue a estrada da diligência passando por Dedham, Wrentham e Attleborough, em todas essas cidades há boas tavernas. Hospede-se na do senhor Bolcom, em Wrentham, onde as camas são melhores do que na do senhor Hatch, mas coma no outro estabelecimento, pois seu cozinheiro é melhor. Vire na direção de Providence na altura das corredeiras de Patucket e pegue a estrada depois da taverna do senhor Sayles. Minha casa fica em frente à taverna do senhor Epenetus Olney, saindo de Town Street, a primeira do lado norte de Olney Court. A distância de Boston Store é cerca de setenta quilômetros.

Declaro-me, senhor, seu velho e sincero amigo e criado em Almonsin-Metraton.
JOSEPHUS C.
Para Simon Orne, William's-Lane, em Salém.

Por mais estranho que pareça, foi essa carta que revelou a Ward a localização exata da residência de Curwen em Providence, uma vez que nenhum dos registros encontrados até então trazia informações detalhadas. A descoberta foi ainda mais notável porque revelou ser a casa erigida por Curwen em 1761, no mesmo terreno da antiga residência, uma construção dilapidada que permanecia de pé em Olney Court e que Ward havia conhecido tempos antes durante os passeios à procura de antiguidades por Stamper's Hill. A bem da verdade, o local ficava a poucos quarteirões da residência de Ward, situada em um ponto mais elevado da colina, e na época servia de lar para uma família de negros muito estimados pelos serviços ocasionais de lavagem, limpeza e manutenção de fornalhas que ofereciam. Encontrar, na longínqua Salém, provas inesperadas da importância da espelunca familiar no histórico da própria família era um acontecimento não menos do que extraordinário, e assim Ward resolveu explorar o local imediatamente após seu retorno. As passagens mais incompreensíveis da carta, interpretadas como parte de um simbolismo extravagante, deixaram-no de todo perplexo, embora tenha percebido, com um frêmito de curiosidade, que a passagem bíblica mencionada – Jó, XIV,14 – era o conhecido versículo, "Morrendo o homem, acaso tornará a viver? Todos os dias da minha vida esperaria eu, até que viesse a minha mudança."

2.

O jovem Ward voltou para casa com notável entusiasmo, e passou todo o sábado seguinte fazendo um longo e detalhado estudo da casa em Olney Court. O lugar, que começava a desabar em função da idade, nunca tinha sido uma mansão; mas era uma modesta casa de dois andares com sótão, telhado de duas águas, uma grande chaminé central e uma fachada repleta de entalhes, rematada por uma claraboia raiada, um frontão triangular e elegantes pilastras dóricas. A construção sofrera poucas alterações externas, e Ward sentiu que estava próximo de certos aspectos deveras sinistros da busca a que se havia lançado.

Os moradores negros eram seus conhecidos e, portanto, o velho Asa e a robusta esposa Hannah receberam-no com modos corteses no interior da residência. A parte interna sofrera mais alterações do que o exterior levaria a crer, e Ward notou com pesar que metade dos ornatos acima da cornija, bem como os antigos entalhes conquiformes nos armários, haviam desaparecido, enquanto boa parte dos lambris e dos frisos estavam marcados, danificados e arrancados, ou simplesmente cobertos com papel de parede barato. Em geral, a pesquisa não trouxe os bons resultados que Ward havia esperado; porém, mesmo assim era emocionante caminhar entre as paredes ancestrais que haviam dado abrigo a um homem medonho como Joseph Curwen. Ward percebeu, com um surto de entusiasmo, que um monograma fora cuidadosamente apagado da velha aldrava de latão.

Daquele ponto até o fim dos estudos, Ward dedicou todo o tempo de que dispunha à cópia fotostática da cifra de Hutchinson e ao acúmulo de dados locais a respeito de Curwen. A cifra permaneceu insolúvel, mas, no que diz respeito aos dados, Ward encontrou-os em tão vasta quantidade, somados a tantas outras pistas sobre informações similares, que em julho estava com tudo pronto para fazer uma viagem a New London e a Nova York a fim de consultar as antigas correspondências cuja presença nesses locais estava indicada. A viagem foi extremamente frutuosa, pois rendeu-lhe as cartas de Fenner, com o terrível relato da invasão à fazenda em Pawtuxet, e as correspondências trocadas entre Nightingale e Talbot, graças às quais tomou conhecimento do retrato pintado em um painel na biblioteca de Curwen. O retrato despertou um interesse muito particular, uma vez que Ward tinha um profundo desejo de saber qual teria sido a aparência de Joseph Curwen; e por esse motivo decidiu empreender uma segunda busca em Olney Court a fim de averiguar se não poderia haver resquícios do revestimento original por trás das camadas de tinta que descascavam ou dos embolorados papéis de parede.

A busca foi realizada no início de agosto, e Ward submeteu a um exame minucioso as paredes de todos os cômodos grandes o suficiente para que pudessem ter sido a biblioteca do malévolo construtor. Dispensou atenção especial aos grandes painéis acima das cornijas remanescentes, e foi tomado por um profundo entusiasmo quando, cerca de uma hora mais tarde, a grande área que ficava em cima da lareira de um espaçoso cômodo no térreo revelou, por baixo de várias camadas de tinta, uma área mais escura do que qualquer outra tinta ou madeira usada no interior da casa poderia ter sido. Depois de fazer alguns testes com uma faca de lâmina fina, Ward teve a certeza de que havia descoberto um retrato a óleo de grandes dimensões. Com o mais genuíno rigor acadêmico, o jovem recusou-se a assumir o risco de causar danos à pintura com uma tentativa imediata de revelar o retrato oculto mediante o uso da faca, e deixou o local da descoberta em busca de ajuda especializada. Passados três dias, retornou com o Sr. Walter C. Dwight, um artista experiente que trabalhava em um estúdio próximo ao sopé de College Hill, e o talentoso restaurador de pinturas pôs-se a trabalhar de imediato com os métodos e os reagentes químicos adequados. O velho Asa e a esposa demonstraram grande curiosidade com a presença dos estranhos visitantes em seu lar, e foram devidamente reembolsados pela intrusão.

Quanto mais avançava o trabalho de restauro, mais interesse Charles Ward demonstrava em relação às linhas e sombras que aos poucos se revelavam ao cabo daquele longo esquecimento. Dwight havia começado pela parte inferior da pintura e, como se tratava de um retrato de três quartos, o rosto não se revelou por algum tempo. Nesse ínterim, descobriu-se que o modelo era um homem esbelto e de boas proporções, que trajava um casaco azul-escuro, um colete bordado, um lenço de cetim preto e meias brancas de seda, sentado em uma cadeira entalhada com uma janela por onde se viam cais e navios ao fundo.

Quando enfim surgiu a cabeça, revelou uma peruca Albemarle e um semblante magro, calmo e discreto, que pareceu familiar tanto a Ward quanto ao meticuloso artista. Foi apenas quando o trabalho estava próximo ao fim, no entanto, que o restaurador e o cliente puderam demonstrar espanto perante os detalhes do rosto descarnado e pálido e reconhecer, com uma nota de espanto, o truque dramático executado pela hereditariedade. Pois foram necessários o último banho de óleo e o golpe final do delicado raspador para que fosse revelada por completo a expressão que os séculos haviam ocultado – e para que o estupefato Charles Dexter Ward, aficionado por épocas passadas, se defrontasse com as feições do próprio rosto no semblante do horrendo tataravô.

Ward levou os pais até a casa para que vissem a maravilha recém-descoberta, e no mesmo instante o pai resolveu comprar a pintura, ainda que esta tivesse por suporte um painel estacionário.

A semelhança com o rapaz, a despeito da aparência de uma idade avançada ao extremo, não era menos do que espantosa, e via-se que, por força de um furtivo truque do atavismo, os contornos físicos de Joseph Curwen haviam gerado uma réplica perfeita um século e meio depois. Não se percebeu nenhuma semelhança notável entre a Sra. Ward e o antepassado, embora a mulher se lembrasse de parentes que apresentavam certas características faciais compartilhadas pelo filho e pelo finado Curwen. A mulher não gostou da descoberta, e disse ao marido que seria melhor queimar a pintura em vez de levá-la para casa. Declarou que havia algo de insalubre a respeito do retrato; não apenas no aspecto intrínseco, mas também na maneira como se assemelhava a Charles. O Sr. Ward, no entanto, era um homem poderoso e pragmático – um fabricante de tecidos de algodão com diversos moinhos em Riverpont, no Pawtuxet Valley –, e por esse motivo não deu ouvidos a esse escrúpulo feminino. A pintura impressionou-o deveras em virtude da semelhança com o filho, e assim decidiu que o garoto merecia ganhá-la de presente. Seria desnecessário dizer que Charles apoiou efusivamente a opinião do pai e, poucos dias mais tarde, o Sr. Ward localizou o proprietário da casa – um homem com a aparência de um roedor e dicção gutural – e arrematou o consolo e o painel com ornatos que trazia o retrato por uma quantia peremptória que visava a poupá-lo de uma torrente de regateios untuosos.

Bastaria, portanto, remover o painel e transportá-lo até a casa dos Ward, onde já estavam sendo tomadas as devidas providências para que a obra fosse restaurada por completo e instalada ao pé de uma lareira elétrica no gabinete ou na biblioteca de Charles, no terceiro andar. Charles foi encarregado de supervisionar a remoção, e no dia 28 de agosto acompanhou dois trabalhadores especializados da firma de decoração Crooker até a casa em Olney Court, onde o consolo e o painel com ornatos, que fazia as vezes de suporte para o retrato, foram removidos com a cautela e a precisão necessárias para então serem colocados no caminhão da empresa. A remoção expôs parte da estrutura em alvenaria e revelou o percurso da chaminé, no qual o jovem Ward observou um recôndito cúbico, com cerca de trinta centímetros de largura, situado atrás do rosto do retrato. Curioso em relação ao que o espaço poderia significar ou conter, o jovem aproximou-se, olhou para dentro e encontrou, sob grossas camadas de poeira e fuligem, certos papéis amarelados e avulsos, um volumoso e rústico caderno de caligrafia e alguns farrapos embolorados de tecido, que deviam ter servido para amarrar o pequeno fardo. Depois de soprar para longe o grosso da sujeira e das cinzas, tomou o caderno nas mãos e leu as opulentas letras inscritas na capa. Vinham escritas em uma caligrafia com que se havia familiarizado no Essex Institute, e apresentavam o volume como *Diário e Notas de Jos. Curwen, Gent., das Plantações de Providence, anteriormente de Salém*.

Tomado pelo entusiasmo da descoberta, Ward mostrou o livro para os dois curiosos trabalhadores que estavam na casa. O relato destes é taxativo no que diz respeito à natureza e à veracidade do achado, e o Sr. Willett usa-o para defender a hipótese de que o jovem Ward não estava louco quando deu início às grandes excentricidades. Os demais papéis também estavam todos escritos na caligrafia de Curwen, e um item em especial parecia bastante agourento devido à seguinte inscrição: "Àquele que virá depois, e como ele poderá voltar no tempo e nas esferas". Outro consistia em uma cifra, e Ward torceu para que fosse a mesma empregada por Hutchinson e que até então o havia frustrado. Um terceiro, que levou o jovem antiquário a rejubilar-se, parecia ser uma chave para a cifra; enquanto o quarto e o quinto estavam destinados respectivamente "Ao amigo Edward Hutchinson" e "Ao Senhor Jedediah Orne", "ou aos seus herdeiros ou representantes legais". O sexto e último documento ostentava o título: "Joseph Curwen, sua vida e viagens entre os anos 1678 e 1687: para onde viajou, onde viveu, quem viu e o que aprendeu".

3.

Chegamos agora ao ponto exato em que, segundo os círculos mais acadêmicos de psiquiatras, marca o início da loucura de Charles Ward. Imediatamente após a descoberta, o rapaz examinou certas páginas do livro e dos manuscritos, e sem dúvida encontrou algo capaz de causar uma impressão profunda. A bem dizer, quando mostrou os títulos para os trabalhadores, o jovem Ward deu a impressão de que estava a tomar cuidados muito particulares a fim de ocultar o texto, e também de que sofria com uma grave perturbação que dificilmente se deixaria explicar pela importância antiquária e genealógica da descoberta. Ao retornar para casa, deu a notícia com um ar quase tímido, como se desejasse transmitir a ideia de uma importância absoluta sem ter de apresentar qualquer tipo de evidência. Sequer mostrou os títulos para os pais, limitando-se a mencionar a descoberta de alguns documentos na caligrafia de Joseph Curwen, "quase todos cifrados", que precisariam de um estudo minucioso para que revelassem o verdadeiro significado. Parece improvável que fosse mostrar aos pais os objetos antes exibidos aos trabalhadores se não fosse a insistência despertada pela evidente curiosidade. Da maneira como foi, Charles Ward parece ter evitado qualquer demonstração de reticência que pudesse fomentar as discussões acerca do tema.

Naquela noite, permaneceu sentado no quarto estudando o diário e os documentos encontrados, e não se interrompeu sequer quando o dia raiou. As refeições, depois de um pedido urgente feito à mãe quando bateu na porta para ver se havia algo de errado com o filho, passaram a ser mandadas para o quarto; somente à tarde o rapaz fez uma breve aparição enquanto os trabalhadores instalavam o retrato e o consolo de Curwen no interior do gabinete. A noite seguinte foi marcada por breves cochilos, com as roupas ainda no corpo, tirados entre as longas horas de esforços frenéticos dedicadas à solução do manuscrito cifrado. Pela manhã, a Sra. Ward encontrou o filho às voltas com a cópia fotostática da cifra de Hutchinson, que já tinha visto em mais de uma oportunidade; porém, em resposta à pergunta feita pela mãe, Charles Ward afirmou que a chave de Curwen não podia ser usada para decifrá-la. À tarde, deixou de lado o trabalho e observou fascinado o término da instalação do retrato acima de uma lareira elétrica com um aspecto quase real, quando a falsa lareira e o painel com ornatos foram afastados da parede norte, como que para dar espaço a uma chaminé, e aos vãos laterais, cobertos por lambris idênticos aos que revestiam as paredes. O painel frontal em que estava o retrato foi serrado e guarnecido com dobradiças para que o espaço atrás da pintura fosse usado como armário. Depois que os instaladores foram embora, Ward levou o trabalho para o gabinete e sentou-se defronte aos papéis, com olhar fixo em parte na cifra, e em parte no retrato que o encarava de volta como se fosse um espelho capaz de envelhecê-lo e de evocar os séculos passados.

Os pais, ao relembrar a conduta do filho por volta daquela época, oferecem detalhes interessantes sobre a política de sigilo adotada pelo rapaz. Diante dos criados, Charles Ward escondia todo e qualquer documento que porventura estivesse analisando, pois supunha corretamente que a caligrafia rebuscada e arcaica de Curwen seria demais para essas pessoas. Com os pais, no entanto, era mais circunspecto, e a não ser que o manuscrito em questão fosse uma cifra, ou um simples amontoado de símbolos crípticos e ideogramas desconhecidos (como o documento intitulado "Àquele que vier depois etc." parecia ser), tratava sempre de ocultá-lo com outro papel qualquer até que o visitante houvesse partido. À noite, os documentos eram trancados a chaves em uma antiga escrivaninha, na qual Ward também os guardava sempre que saía do quarto. O rapaz não tardou a voltar para a rotina e os horários de sempre, mas parecia ter perdido todo o interesse nas longas caminhadas e em outras atividades ao ar livre. A abertura da escola, onde começara o último ano de estudos, parecia ser um enorme aborrecimento, e o jovem muitas vezes declarava que jamais se preocuparia em entrar para a universidade. Segundo afirmava, tinha interesse em conduzir investigações um tanto particulares, capazes de abrir vias de acesso ao conhecimento e às humanidades que nenhuma universidade poderia oferecer.

Naturalmente, uma pessoa de caráter mais ou menos estudioso, excêntrico e solitário poderia ter mantido esses hábitos por vários dias sem chamar atenção. Ward, no entanto, era um acadêmico e um eremita por definição; e por esse motivo os pais mostraram-se mais chateados do que surpresos ao perceber o isolamento e o sigilo adotados pelo filho. Ao mesmo tempo, tanto o pai quanto a mãe estranharam a relutância de Charles em mostrar qualquer fragmento dos seus achados preciosos, bem como a oferecer qualquer tipo de relato acerca das informações decifradas. Ele explicava essa reticência alegando o desejo de esperar até que pudesse oferecer um relato coeso, mas após semanas inteiras sem nenhuma revelação, surgiu entre o jovem e a família uma sensação de constrangimento, tornada ainda mais intensa aos olhos da mãe em decorrência da desaprovação explícita em relação a toda e qualquer pesquisa relativa a Curwen.

Em outubro, Ward tornou a visitar as bibliotecas, porém não mais em busca dos temas antiquários de outrora. A bruxaria e a magia, o ocultismo e a demonologia passaram a ser os objetos das pesquisas; e quando as fontes em Providence se mostravam infrutíferas, tomava um trem rumo a Boston para ter acesso à fortuna de informações na grande biblioteca de Copley Square, na Widener Library em Harvard ou na Zion Research Library em Brookline, onde se encontram certas obras raras sobre temas bíblicos.

Comprou um grande número de livros e mandou instalar um novo conjunto de prateleiras no gabinete para guardar os volumes recém-adquiridos sobre esses estranhos assuntos; e, durante o feriado de Natal, empreendeu uma série de viagens para fora da cidade, que incluiu uma visita a certos arquivos do Essex Institute.

Em meados de janeiro de 1920, o porte de Ward pareceu revestir-se de um inexplicável ar de triunfo, e o jovem não foi mais visto a trabalhar na cifra de Hutchinson. No entanto, adotou uma dupla política de pesquisas químicas e análise de registros, que resultou na instalação de um laboratório no espaço ocioso no sótão da casa e em uma busca minuciosa por todos os arquivos de estatísticas vitais em Providence. Os vendedores de medicamentos e de suprimentos científicos, questionados mais tarde, apresentaram catálogos deveras estranhos e desprovidos de sentido com listas das substâncias e dos instrumentos adquiridos; porém, os burocratas do Capitólio, da

Prefeitura e de várias bibliotecas concordam no que dizia respeito ao objeto do segundo interesse. Ward lançou-se em uma intensa e febril busca pelo túmulo de Joseph Curwen, cuja lápide tivera o nome sabiamente apagado por uma geração anterior.

Aos poucos, a convicção da família Ward de que havia algo errado ganhou força. Antes, Charles já tivera episódios de pequenos surtos e mudanças repentinas de interesse, mas o crescente sigilo e a extrema atenção dedicada a estranhas buscas era inquietante mesmo em um indivíduo sabidamente excêntrico. As tarefas escolares não passavam de um pretexto e, embora não se saísse mal em nenhuma matéria, era visível que o antigo empenho havia desaparecido. Tinha outras preocupações e, quando não estava no laboratório com uma vintena de tomos obsoletos sobre alquimia, debruçava-se sobre antigos registros de cemitérios no centro da cidade ou trancava-se com livros de ocultismo no gabinete, onde as surpreendentes feições de Joseph Curwen – que a cada dia pareciam mais similares às do sucessor distante – encaravam-no do painel na parede norte.

No fim de março, Ward complementou a busca pelos arquivos com um macabro esquema de perambulações em vários cemitérios antigos da cidade. O motivo veio à tona apenas mais tarde, quando os burocratas da Prefeitura revelaram que era provável que o jovem encontrara uma pista importante. A busca pelo túmulo de Joseph Curwen deu lugar à busca pelo túmulo de um certo Naphthali Field; e essa mudança foi explicada quando, ao examinar os documentos analisados por Ward, os investigadores encontraram um registro fragmentário do enterro de Curwen que havia escapado à obliteração generalizada, segundo o qual o caixão de chumbo tinha sido enterrado "dez pés ao sul e cinco pés a oeste do túmulo de Naphthali Field no_____". A ausência de um maior detalhamento acerca do local do enterro complicou bastante as buscas, e o túmulo de Naphthali Field mostrou-se tão esquivo quanto o de Curwen; mas, nesse caso, não havia nenhum apagamento sistemático, e seria possível deparar-se com uma lápide mesmo que os registros tivessem perecido. Eis, portanto, o motivo das perambulações – das quais os cemitérios da St. John's Church (antiga King's Church) e o antigo cemitério congregacional no meio do Swan Point Cemetery foram excluídos, uma vez que outras informações demonstravam que o único Naphthali Field (falecido em 1729) a cujo túmulo se podia aludir tinha sido batista.

4.

Era quase maio quando o Dr. Willett, a pedido do patriarca Ward, e equipado com todos as informações sobre Curwen que a família tinha obtido de Charles no período anterior ao sigilo, tentou conversar com o rapaz. A entrevista teve pouca serventia e admitiu poucas conclusões, uma vez que, durante todo o tempo, Charles demonstrou ter pleno domínio das faculdades mentais e pareceu estar lidando com assuntos de suma importância; mas pelo menos o jovem viu-se obrigado a oferecer explicações racionais para o comportamento adotado. Ward, um tipo pálido e impassível que apenas raramente dava sinais de constrangimento, pareceu disposto a discutir as buscas, mas não a revelar o propósito a que serviam. Afirmou que os documentos do ancestral tinham revelado impressionantes segredos de um conhecimento científico incipiente, quase sempre cifrado, de uma abrangência comparável apenas às descobertas do Frade Bacon, embora pudessem ter importância ainda maior do que estas. No entanto, o conhecimento não fazia sentido a não ser quando relacionado a todo um arcabouço de erudição totalmente obsoleto, de modo que uma apresentação imediata dos achados a um mundo que dispunha apenas da ciência moderna acabaria por roubar-lhe toda a magnitude e toda a importância dramática. Para que pudessem reivindicar o merecido destaque na história do pensamento humano, essas relações precisariam ser estabelecidas por uma pessoa familiarizada com o contexto em que haviam evoluído, e era a essa tarefa que Ward então se dedicava. Estava procurando adquirir o mais depressa possível todas as artes negligenciadas de outrora, necessárias a uma interpretação adequada de todos os dados relativos a Curwen, e tinha a esperança de, no futuro, fazer uma revelação e uma apresentação completa de supremo interesse para a humanidade e para o mundo das ideias como um todo. Segundo afirmou, nem mesmo Einstein poderia trazer uma revolução mais profunda à atual concepção acerca das coisas.

Quanto às buscas nos cemitérios, cujo objeto foi admitido de imediato, embora sem nenhum comentário a respeito do progresso eventualmente feito, Ward afirmou ter motivos para crer que a lápide depredada de Joseph Curwen ostentasse certos símbolos místicos – entalhados a partir de instruções deixadas no testamento e por mero acaso ignoradas por aqueles que haviam apagado o nome – absolutamente essenciais para a solução final do críptico sistema. Segundo acreditava, Curwen teria guardado esse segredo com muito cuidado, distribuindo os dados de acordo com um método deveras curioso. Quando o Dr. Willett pediu para ver os documentos místicos, Ward mostrou-se relutante e tentou dissuadi-lo com as cópias fotostáticas da cifra de Hutchinson e das fórmulas e diagramas de Orne; mas por fim concordou em mostrar o exterior de certos documentos relacionados a Curwen – como o Diário e Apontamentos, a cifra (com o título igualmente cifrado) e a mensagem repleta de fórmulas intitulada "Àquele que vier depois" – e permitiu que o visitante examinasse aqueles escritos em caracteres obscuros.

Também abriu o diário em uma página escolhida em função da inocuidade, e assim ofereceu a Willett um vislumbre da caligrafia cursiva de Curwen em inglês. O médico procedeu a um minucioso exame das letras rebuscadas e elaboradas e da aura setecentista que pairava ao redor da caligrafia e do estilo, apesar da sobrevivência do autor até o século XVIII, e logo concluiu tratar-se de um documento genuíno. O texto em si era relativamente trivial, e Willett recordava apenas de um breve fragmento:

"Quarta-feira, 16 de outubro de 1754. Minha corveta *Wahefal* saiu hoje de Londres com XX novos homens embarcados nas índias, espanhóis da Martinica e holandeses do Suriname. Os holandeses estão propensos a desertar, pois ouviram falar um tanto mal desse empreendimento, mas farei de modo a induzi-los a ficar. Para o Sr. Knight Dexter no Bay and Book 120 peças de chamalote, 100 peças sortidas de pelo de camelo, 20 peças de lã azul, 50 peças de calamanta, 300 peças cada de algodão das índias e *shendsoy*. Para o Sr. Green do Elefante, 50 panelas de um galão, 20 panelas de aquecer, 15 formas de assar, 10 tenazes de defumar. Para o Sr. Perrigo, 1 conjunto de sovelas. Para o Sr. Nightingale, 50 resmas de papel de primeira. Recitei o SABBAOTH três vezes na noite passada, mas ninguém apareceu. Preciso saber mais do Sr. H. na Transilvânia, embora seja difícil entrar em contato com ele e é muito estranho que ele não possa me ensinar o uso daquilo que tem usado tão bem nesses cem anos. Simon não escreveu nessas V semanas, mas espero ter notícias suas em breve."

Ao chegar àquele ponto, o Dr. Willett virou a página, mas foi impedido por Ward, que quase lhe arrancou o tomo das mãos. Tudo o que o médico teve a chance de ver na página recém-aberta foram duas breves frases; mas estas, por mais estranho que pareça, perduraram com tenacidade na memória. Diziam: "Pronunciado o verso do Liber-Damnatus em V vésperas do dia da Cruz e IV vésperas de Todos os Santos, espero que a coisa esteja se preparando fora das esferas. Ele trará aquele que está para vir se eu puder ter certeza de que ele existirá e pensará as coisas passadas e olhará para trás dos anos e para isto deverei ter os sais prontos ou o necessário para fazê-los".

Willett não viu mais nada, mas o pequeno vislumbre conferiu um novo e vago terror às feições pintadas de Joseph Curwen, que o encaravam do painel acima da cornija. Mesmo depois, passou a ter a singular impressão – que a experiência médica assegurava não passar de imaginação – de que os olhos do retrato nutriam uma espécie de desejo, se não de fato uma tendência, a seguir o jovem Charles Ward enquanto andava pelo cômodo. Antes de sair do estúdio, o Dr. Willett deteve-se para examinar o retrato de perto, admirando a grande semelhança que guardava em relação a Charles e memorizando cada detalhe daquele rosto pálido e críptico, incluindo uma discreta cicatriz ou depressão acima da sobrancelha direita. Decidiu que Cosmo Alexander era um pintor digno da Escócia, onde havia nascido Raeburn, e um mestre digno do ilustre aluno Gilbert Stuart. Ao escutarem do médico que a saúde mental de Charles não corria perigo e que o filho na verdade estava às voltas com uma pesquisa que mais tarde poderia revelar-se deveras importante, os Ward adotaram uma postura mais tolerante do que teriam feito de outra forma quando, em junho, o rapaz se recusou de vez a frequentar a universidade. Declarou que tinha estudos de importância vital com que se ocupar, e deu a entender que desejava viajar para o estrangeiro no ano seguinte para ter acesso a certas fontes de informações indisponíveis nos Estados Unidos. O patriarca Ward, tendo negado o último desejo por considerá-lo absurdo para um rapaz de apenas dezoito anos, concordou no que dizia respeito à universidade. Dessa forma, após uma formatura não muito brilhante da Moses Brown School, sobreveio um período de três anos durante os quais Charles ocupou-se com intensos estudos de ocultismo e buscas em cemitérios. Obteve reconhecimento como um personagem excêntrico, e assim tornou-se ainda mais recluso do que havia sido antes; devotava a maior parte do tempo ao trabalho e apenas em raras ocasiões fazia viagens a outras cidades a fim de consultar registros obscuros. Certa vez foi ao sul conversar com um velho e estranho mulato que morava em um pântano e a cujo respeito um jornal havia publicado um curioso artigo. Em outra ocasião, saiu em busca de um pequeno vilarejo nas montanhas Adirondack, de onde haviam chegado relatos de singulares práticas ritualísticas. Mas os pais continuavam a negar-lhe a tão desejada viagem ao Velho Mundo.

Quando alcançou a maioridade, em abril de 1923, depois de herdar uma pequena quantia monetária do avô materna, Ward enfim decidiu fazer a viagem europeia que até então lhe fora negada. Quanto ao itinerário pretendido, não revelou nada, a não ser que as exigências ditadas pelos estudos haveriam de levá-lo a diversos lugares, mas prometeu escrever aos pais com detalhes fidedignos. Ao perceber que o filho não seria dissuadido, o Sr. e a Sra. Ward abandonaram toda a oposição e passaram a ajudar da melhor forma possível; e, assim, em junho o rapaz zarpou rumo a Liverpool com as bênçãos de despedida do pai e da mãe, que o acompanharam até Boston e acenaram-lhe do píer White Star, em Charlestown.

Logo chegaram cartas que narravam a bem-sucedida viagem e a busca por boas acomodações na Great Russell Street, em Londres, onde, depois de recusar todas as ofertas de amigos da família, Charles Ward decidiu hospedar-se até exaurir todos os recursos do Museu Britânico a respeito de um certo tema. Os relatos sobre a vida cotidiana eram raros, pois havia pouco a escrever. Os estudos e os experimentos consumiam-lhe todo o tempo, e Charles mencionou que havia montado um laboratório em um dos cômodos. A ausência de qualquer comentário acerca de passeios antiquários pela opulenta cidade antiga, com um vistoso panorama de cúpulas e coruchéus ancestrais em meio a um emaranhado de avenidas e becos repletos de volteaduras místicas e vistas repentinas que ora surpreendem e ora inspiram, foi interpretada pelos pais como um bom indício do ponto que os novos interesses passaram a ocupar nos pensamentos do filho.

Em junho de 1924, uma breve mensagem deu conta de uma partida rumo a Paris, para onde Charles já havia feito duas viagens expressas em busca de material na Bibliothèque Nationale. Pelos três meses a seguir, limitou-se a enviar cartões-postais, informando um endereço na Rue St. Jacques e referindo-se a uma busca especial em meio aos manuscritos raros pertencentes à biblioteca de um colecionador particular cujo nome não foi mencionado. Charles Ward evitava os conhecidos, e não havia relatos de turistas que o tivessem avistado. Então veio um período de silêncio e, em outubro, os Ward receberam um cartão-postal de Praga, na Tchecoslováquia, relatando que Charles estava nessa antiga cidade para encontrar-se com um homem de idade muito avançada que, segundo relatos, seria a última pessoa viva em posse de certas informações medievais deveras singulares. Informou um endereço em Neustadt e anunciou que não devia fazer mais viagens antes de janeiro seguinte, quando enviou diversos cartões de Viena que narravam a passagem por essa cidade durante a jornada rumo a uma região mais ao leste, para onde um correspondente e pesquisador das ciências ocultas o convidara.

O cartão-postal seguinte veio de Klausenburg, na Transilvânia, e narrava o progresso de Ward rumo ao destino final. Haveria de visitar um certo barão Ferenczy, proprietário de terras nas montanhas a leste de Rakus; e estaria hospedado em Rakus, nos aposentos do nobre em questão. O cartão enviado de Rakus uma semana mais tarde, com informações de que o anfitrião fora encontrá-lo de carruagem e de que em breve deixaria o vilarejo rumo às montanhas, foi a última mensagem durante um período razoavelmente longo. De fato, Charles não respondeu às frequentes correspondências dos pais antes de maio, quando escreveu para desencorajar o plano da mãe de encontrar o filho em Londres, Paris ou Roma durante o verão, quando o Sr. e a Sra. Ward planejavam viajar para a Europa. Ward afirmou que o estágio em que se encontravam as buscas não permitiria que saísse do local onde se encontrava, e que a situação no castelo do barão Ferenczy não favorecia visitas. A construção situava-se em um rochedo em meio a montanhas sombrias, e a região era temida com tanta intensidade pelos camponeses locais que nenhuma pessoa normal poderia sentir-se à vontade no lugar. Além disso, o barão não seria considerado uma pessoa agradável pela aristocracia correta e conservadora da Nova Inglaterra. Tinha idiossincrasias de aspecto e de atitude, e uma idade avançada a ponto de causar incômodo naqueles que o viam. De acordo com Charles, seria melhor se os pais o aguardassem em Providence, uma vez que o retorno não poderia estar muito distante.

Todavia, o retorno só ocorreu em maio de 1926, quando, depois de alguns cartões-postais em que anunciou a novidade, o jovem viajante chegou furtivamente a Nova York no *Homeric* e atravessou os longos quilômetros até Providence em um ônibus motorizado, deleitando-se com as viçosas colinas ondulantes, os fragrantes pomares em flor e os vilarejos salpicados de coruchéus na primavera em Connecticut, pois era o primeiro gosto que tinha da antiga Nova Inglaterra em um período de quase quatro anos. Quando o ônibus atravessou o Pawcatuck e chegou a Rhode Island em meio ao dourado feérico de um entardecer primaveril, o coração de Charles Ward bateu com forças renovadas, e o ingresso em Providence, ao longo da Reservoir e da Elmwood Avenue, deixou-o sem fôlego, apesar das profundezas de sabedoria proscrita em que havia mergulhado. No ponto em que a Broad, a Weybosset e a Empire Street se encontram, viu, no fulgurante pôr do sol que se estendia adiante e abaixo de si, as agradáveis casas e cúpulas e coruchéus que recordava da antiga cidade; e entregou-se aos devaneios enquanto o veículo rodava por trás do Biltmore, revelando o enorme domo e a macia vegetação de raízes profundas que medrava na ancestral colina na margem oposta do rio, e por fim o sobranceiro coruchéu em estilo colonial da Primeira Igreja Batista debuxou-se em cor-de-rosa em meio à prodigiosa luz do entardecer, tendo ao fundo o vertiginoso panorama do viço e do frescor primaveril.

A velha Providence! Fora aquele lugar e as estranhas forças de uma longa e contínua história que lhe haviam dado a vida e que o impeliram rumo a maravilhas e segredos cujos limites nenhum profeta seria capaz de predizer. Lá estavam os poderes arcanos fantásticos ou medonhos para os quais todos os anos dedicados às viagens e aos estudos o haviam preparado. Um coche levou-o para além do Post Office Square com um vislumbre do rio, do velho Mercado e da baía, e então subiu a curva íngreme da Waterman Street até a Prospect, onde a vasta cúpula reluzente e as colunas iônicas ensolaradas da Christian Science Church chamavam-no rumo ao norte. Depois vieram mais oito quarteirões repletos das antigas casas que o olhar de Charles havia conhecido na infância, e a seguir as calçadas de tijolos galgadas tantas vezes durante a juventude. Então, uma pequena propriedade à direita, que logo ficou para trás, e por fim, à esquerda, a clássica varanda ao estilo Adam e a suntuosa fachada guarnecida por arcos da imponente mansão onde havia nascido. A noite começava a cair, e Charles Dexter Ward havia retornado a casa.

5.

Uma vertente da psiquiatria, um pouco menos acadêmica que a do Dr. Lyman, atribui à viagem europeia de Ward o início da loucura consumada. Admitindo a sanidade de Ward no momento da partida, ela acredita que a conduta do rapaz na volta indica uma mudança desastrosa. No entanto, o Dr. Willett reluta em aceitar sequer essa afirmação. Insiste em alegar que a transformação se operou apenas mais tarde; quanto às excentricidades do rapaz por volta desse período, atribuiu-as à prática de rituais aprendidos no estrangeiro – coisas estranhas, sem dúvida, mas que não implicam nenhum tipo de aberração mental por parte do praticante. Ward, embora mais velho e mais endurecido, continuava a comportar-se de maneira normal, e em várias conversas com Willett mostrara um equilíbrio que nenhum louco – sequer nos primórdios da loucura – poderia fingir por muito tempo. O que levantou a suspeita acerca de uma possível insanidade por volta dessa época foram os sons ouvidos a todas as horas do dia e da noite vindos do laboratório que Ward havia montado no sótão, onde permanecia durante a maior parte do tempo. Ouviam-se cânticos e repetições, e declamações ribombantes em ritmos desconhecidos; e embora os sons viessem sempre na voz do próprio Ward, havia algo indefinível na qualidade da voz e no sotaque das fórmulas pronunciadas que enregelava o sangue de todos os que as escutavam. Logo se percebeu que Nig, o amável e venerado gato preto da casa, eriçava os pelos e arqueava as costas quando certos sons eram entoados.

Os odores que por vezes emanavam do laboratório também eram demasiado estranhos. Às vezes tinham um cheiro agressivo ao extremo, porém, com maior frequência eram aromáticos, e revestiam-se de uma qualidade fugidia e assombrosa que parecia ter o efeito de induzir imagens fantásticas. As pessoas que os sentiam apresentavam a tendência a ver miragens fugazes de enormes panoramas com estranhas colinas e intermináveis avenidas de esfinges e hipogrifos que se estendiam rumo ao infinito. Ward não retomou as caminhadas de outrora, mas dedicou-se com afinco aos estranhos livros que havia levado para casa e às igualmente estranhas investigações que conduzia nos aposentos particulares, com a justificativa de que as fontes europeias haviam produzido uma grande ampliação no campo de trabalho e prometiam grandes revelações nos anos vindouros. O aspecto envelhecido realçou a semelhança de Ward com o retrato de Curwen a um nível impressionante, e o Dr. Willett com frequência detinha-se junto à pintura ao final das visitas, admirando a notável identidade entre as duas figuras e ponderando que, naquela altura, somente a pequena cicatriz acima do olho direito do retrato diferenciava o feiticeiro morto há mais de um século do rapaz cheio de vida. Essas visitas de Willett, feitas a pedido do Sr. e da Sra. Ward, eram um tanto estranhas. Em nenhum momento Charles Ward rejeitou o médico, mas este logo percebeu que jamais conseguiria alcançar a psicologia íntima do rapaz. Com frequência notava objetos singulares, como pequenas imagens grotescas moldadas em cera nas prateleiras ou nas mesas, e os resquícios parcialmente apagados de círculos, triângulos e pentagramas desenhados a giz ou a carvão no vão livre que ocupava o centro do amplo cômodo. À noite, os ritmos e os encantamentos continuavam a ribombar, e por fim surgiram dificuldades para manter os criados na casa ou suprimir as conversas furtivas sobre a loucura de Charles.

Em janeiro de 1927, ocorreu um incidente bastante peculiar. Certa ocasião, por volta da meia-noite, enquanto Charles entoava um ritual de cadência inaudita que ecoava por todos os andares da casa, uma rajada de vento gélido soprou da baía, e um discreto e obscuro tremor de terra foi notado por todos os moradores da vizinhança. Ao mesmo tempo, o gato exibiu traços de um pavor fenomenal, enquanto todos os cachorros em um raio de um quilômetro e meio ao redor puseram-se a latir. Esse foi o prelúdio de uma forte tempestade elétrica, bastante anômala naquela época do ano, que trouxe consigo um estrondo tão intenso que o Sr. e a Sra. Ward chegaram a acreditar que a casa teria sido atingida. Os dois subiram as escadas correndo a fim de averiguar os estragos, porém Charles encontrou-os na porta do sótão; estava pálido, decidido e aziago, e ostentava no rosto uma combinação quase terrível de triunfo e seriedade. Assegurou-os de que a casa não fora atingida, e de que a tempestade logo passaria. O casal deteve-se e, depois de olhar para fora de uma janela, percebeu que o filho de fato tinha razão, pois os raios iluminavam céus cada vez mais distantes, enquanto as árvores aos poucos deixavam de vergar-se com as estranhas rajadas gélidas que vinham do mar. O trovão reduziu-se a uma espécie de rumor abafado e por fim desapareceu. As estrelas surgiram, e a marca de triunfo no semblante de Charles Ward cristalizou-se em uma expressão deveras singular.

Por dois meses ou mais, após esse incidente, Ward passou menos tempo do que o habitual confinado no laboratório. Passou a exibir um curioso interesse pelo clima e a fazer estranhas indagações a respeito da data em que o gelo começaria a derreter na primavera. Certa noite, no fim de março, saiu de casa após a meia-noite e só retornou pouco antes do alvorecer, quando a mãe, que estava acordada, ouviu o ruído de um motor aproximando-se da entrada da carruagem. Era possível distinguir imprecações abafadas, e a Sra. Ward, depois de erguer-se e avançar até a janela, divisou quatro vultos retirando, sob o comando de Charles, uma longa e pesada caixa de um caminhão e carregando-a até a porta lateral. Ouviu uma respiração arquejante e passadas ponderosas nos degraus da escada, e por fim um baque surdo no sótão, quando então os passos tornaram a descer e os quatro homens reapareceram do lado de fora e partiram com o caminhão.

No dia seguinte, Charles retomou o enclausuramento no sótão, baixando as cortinas escuras nas janelas do laboratório e parecendo estar trabalhando em alguma substância metálica. Não abria a porta para ninguém, e recusava toda e qualquer comida que lhe fosse oferecida. Por volta do meio-dia, um estrépito repentino foi seguido por um grito e uma queda terríveis, mas, quando a Sra. Ward bateu à porta, o filho enfim atendeu com uma voz débil e disse que não havia nada de errado; o horrendo e indescritível fedor que o laboratório exalava era absolutamente inofensivo e, infelizmente, necessário. A solidão era o mais importante naquele momento, porém, comprometeu-se a aparecer mais tarde para o jantar. Naquela tarde, quando cessaram os estranhos sons sibilantes que se ouviam por detrás da porta trancada, Charles enfim apareceu, revelando um aspecto de extremo desalento e proibindo toda e qualquer pessoa de adentrar o laboratório sob qualquer pretexto. De fato, o anúncio revelou-se como o início de uma nova política de sigilo; pois, a partir de então, jamais outra pessoa recebeu permissão para visitar o misterioso gabinete na água-furtada ou a despensa adjacente que Charles Ward esvaziou, mobiliou de maneira precária e incorporou a seus domínios particulares na condição de quarto de dormir. Passou a morar naquele cubículo com os livros que retirava da biblioteca no andar de baixo, até que, passado algum tempo, comprou a casa em Pawtuxet e mudou-se para lá com todos os aparatos científicos.

À noite, Charles pegou o jornal antes dos outros membros da família e danificou-o em parte em um suposto acidente. Mais tarde, o Dr. Willett, tendo estabelecido a data a partir dos testemunhos de vários membros da casa, procurou um exemplar intacto na redação do *Journal* e descobriu que a seção destruída trazia a seguinte nota:

ESCAVADORES NOTURNOS SUPREENDIDOS NO NORTH BURIAL GROUND

Robert Hart, guarda-noturno do North Burial Ground, descobriu hoje pela manhã um grupo composto por vários homens com um caminhão na parte mais antiga do cemitério, mas conseguiu afugentá-los antes que pudessem cumprir qualquer desígnio que pudessem ter em mente.

A descoberta deu-se por volta das quatro horas da manhã, quando a atenção de Hart foi atraída pelo som de um motor no lado de fora da guarita. Quando saiu para investigar, avistou um caminhão de grandes proporções na estrada principal a vários metros de distância, mas não conseguiu alcançá-lo antes que o som dos próprios passos no cascalho o denunciasse. Os homens puseram uma enorme caixa no caminhão e saíram às pressas em direção à rua antes que pudessem ser interceptados; mas, como nenhum túmulo foi profanado, Hart acredita que eles pretendiam enterrar a própria caixa.

Os escavadores devem ter trabalhado por um longo período antes de serem avistados, pois Hart encontrou um enorme buraco cavado a uma distância considerável da estrada no terreno de Amasa Field, onde a maior parte das antigas lápides desapareceu muito tempo atrás. O buraco, com a largura e a profundidade de uma cova, encontrava-se vazio, e não coincidia com nenhum jazigo mencionado nos registros do cemitério.

O sargento Riley, da Segunda Delegacia de Polícia, averiguou o local e afirmou que o buraco foi cavado por falsificadores de bebida que, com esse método engenhoso e terrível, poderiam estocar a carga em um lugar onde dificilmente a encontrariam. Durante o depoimento, Hart afirmou que imaginou ver o caminhão seguir rumo à Rochambeau Avenue, embora não pudesse afirmar com certeza.

Durante os dias que vieram a seguir, Charles foi visto em poucas ocasiões pela família. Depois de acrescentar um quarto de dormir a seus domínios no sótão, adotou um regime de enclausuramento ainda mais rígido, e passou a exigir que a comida fosse deixada na porta, negando-se a aparecer enquanto o criado não tivesse se afastado. A litania de fórmulas monótonas e a entoação de ritmos bizarros surgiam a intervalos regulares, enquanto em outras situações o ouvinte casual podia detectar o som de vidros tilintantes, químicos sibilantes, água corrente ou rumorosas bicas de gás. Odores de qualidade indescritível, totalmente estranhos a tudo o que se havia percebido até então, por vezes pairavam ao redor da porta; e o ar de tensão observável no jovem recluso sempre que se aventurava no mundo exterior era capaz de suscitar as mais febris especulações. Certa vez, fez uma viagem às pressas até o Athenaeum em busca de um livro que necessitava, e em outra ocasião contratou um mensageiro para buscar um volume altamente obscuro em Boston. O suspense estava inscrito como um agouro em toda a situação, e tanto a família Ward quanto o Dr. Willett declararam não saber o que pensar nem o que fazer a respeito.

6.

O dia 15 de abril trouxe um estranho desdobramento. Embora nada parecesse ter se alterado no tocante à natureza, sem dúvida havia uma terrível diferença de intensidade, e por algum motivo o Dr. Willett atribui grande importância a essa mudança. Era Sexta-Feira Santa, uma circunstância deveras importante para os criados, embora outros naturalmente a considerem apenas uma coincidência sem qualquer relevância. No fim da tarde, o jovem Ward começou a repetir certa fórmula em uma voz de singular potência enquanto queimava uma substância pungente cujos vapores escaparam por toda a casa. A fórmula era audível de maneira tão clara no corredor em frente à porta trancada que a Sra. Ward não teve como evitar memorizá-la enquanto aguardava e escutava angustiada, e por esse motivo foi mais tarde capaz de escrevê-la a pedido do Dr. Willett. Dizia o seguinte – e os especialistas afirmaram ao Dr. Willett que uma fórmula deveras semelhante pode ser encontrada nos escritos místicos de "Eliphas Levi", a alma críptica que se esgueirou por uma rachadura do portal interdito e vislumbrou terríveis panoramas do vazio mais além:

"Per Adonai Eloim, Adonai Jehova, Adonai Sabaoth, Metraton On Agla Mathon, verbum pythonicum, mysterium salamandrae, conventus sylvorum, antra gnomorum, daemonia Coeli Gad, Almousin, Gibor, Jehosua, Evam, Zariatnatmik, veni, veni, veni."

A entoação havia se repetido por duas horas sem alterações e sem nenhuma interrupção quando, por toda a vizinhança, os cachorros puseram-se a emitir uivos pandemoníacos. A intensidade dos uivos pode ser imaginada pelo destaque que recebeu nos jornais do dia seguinte, mas, para os ocupantes da casa dos Ward, o barulho foi obscurecido pelo odor que veio instantaneamente a seguir; um odor terrível e pungente que nenhum homem jamais tinha sentido e jamais tornaria a sentir outra vez. Em meio a essa torrente mefítica surgiu um clarão muito perceptível, como o de um raio, que teria sido ofuscante e notável se não fosse a luz do dia que o rodeava; e foi então que se ergueu a voz que nenhum ouvinte jamais poderá esquecer em função da ribombante distância, da incrível profundidade e da quimérica semelhança em relação à voz de Charles Ward. A voz fez com que a casa estremecesse e sem dúvida foi ouvida por pelo menos dois outros vizinhos em meio ao alarido dos cachorros. A Sra. Ward, que escutava desesperada do lado de fora do laboratório trancado pelo filho, estremeceu ao reconhecer o sentido demoníaco daquele som, pois Charles havia lhe falado a respeito da má fama que granjeara em tomos obscuros, e também a respeito da maneira como, segundo as correspondências de Fenner, havia ribombado acima da fazenda de Pawtuxet na noite em que Joseph Curwen fora aniquilado. Não havia como se enganar a respeito daquela frase saída de um pesadelo, pois Charles a descrevera de maneira vívida na época em que falava livremente sobre as investigações acerca de Curwen. Mesmo assim, tratava-se apenas de um fragmento em uma língua esquecida e arcaica: "DIES MIES JESCHET BOENE DOESEF DOUVEMA ENITEMAUS".

O estrondo foi seguido por um obscurecimento momentâneo da luz do dia, embora ainda faltasse uma hora para o pôr do sol, e então por uma rajada de odor diferente da primeira, mas igualmente desconhecida e insuportável. Charles tornou a fazer a entoação mais uma vez e a mãe pôde ouvir sílabas que soavam como "Yi-nash-Yog-Sothoth-he-lgeb-fi-throdog" – e terminavam com um "Yah!" cuja força desvairada subia em um crescendo de estourar os ouvidos. No instante seguinte, todas as memórias anteriores foram obliteradas pelo grito ululante que surgiu em uma explosão frenética e aos poucos transformou-se em um paroxismo de gargalhadas histéricas e diabólicas. A Sra. Ward, com o misto de temor e coragem cega da maternidade, avançou e bateu assustada nas tábuas ocultadoras, mas não suscitou nenhum sinal de reconhecimento. Bateu de novo, mas parou impotente quando um segundo grito se levantou, dessa vez na voz inconfundível e familiar de seu filho, ao mesmo tempo em que a outra voz ria desmedidamente. No mesmo instante perdeu os sentidos, embora ainda hoje se declare incapaz de recordar a causa precisa e imediata do desmaio. Às vezes, a memória promove apagamentos piedosos.

O Sr. Ward voltou da repartição de negócios por volta de seis e quinze, e, ao perceber que a esposa não se encontrava no térreo, foi informado pela assustada criadagem de que devia estar observando a porta de Charles, de onde haviam surgido gritos mais estranhos do que nunca. Após subir de pronto as escadas, encontrou a Sra. Ward estirada no assoalho do corredor em frente à porta do laboratório e, ao perceber que estava desmaiada, apressou-se em buscar um copo d'água de uma moringa em uma alcova próxima. Depois de aspergir-lhe o rosto com o líquido frio, animou-se ao observar uma reação imediata, e estava a observar o confuso abrir das pálpebras quando um arrepio gélido percorreu-lhe o corpo e ameaçou reduzi-lo ao mesmo estado do qual a esposa se recuperava naquele instante. Pois o laboratório não estava tão silencioso quanto aparentava, e de lá desprendiam-se os murmúrios de uma conversa tensa e abafada em tons demasiado baixos para a compreensão, porém de uma qualidade profundamente inquietante para o espírito.

Que Charles balbuciasse fórmulas não era nenhuma novidade, mas aquele balbuciar era um tanto diferente. Era sem dúvida um diálogo, ou a imitação de um diálogo, que exibia as alterações regulares de inflexões que sugeriam perguntas e respostas, afirmações e réplicas. Uma era a voz corriqueira de Charles, mas a outra apresentava um timbre profundo e sepulcral que os melhores poderes de mímica cerimonial do jovem mal lograram produzir em outras situações. Havia um elemento medonho, blasfemo e anormal a respeito daquilo, e, se não fosse por um grito da esposa que recobrava a consciência a clarear-lhe os pensamentos e despertar-lhe para os instintos de sobrevivência, seria improvável que Theodore Howland Ward pudesse manter, por mais quase um ano, a velha bravata de que nunca havia desmaiado. Da maneira como foi, tomou a esposa nos braços e levou-a o mais depressa possível para o térreo antes mesmo que percebesse as horrendas vozes que tanto o perturbavam.

Mesmo assim, no entanto, não foi rápido o suficiente para deixar de captar algo que o levou a cambalear perigosamente com o fardo que transportava. Pois o grito da Sra. Ward sem dúvida fora ouvido por outros além do próprio marido, e de trás da porta trancada vieram as primeiras palavras reconhecíveis que o terrível e mascarado colóquio havia produzido. Não passava de um alerta exaltado proferido na voz do próprio Charles, mas, por algum motivo, trouxe insinuações repletas de um horror inefável para o pai que o ouviu. A frase era simplesmente a seguinte: "Pssst! – Escreva!".

O Sr. e a Sra. Ward conversaram durante algum tempo após o jantar, e o patriarca resolveu ter uma conversa firme e séria com Charles naquela mesma noite. Por mais importantes que fossem os estudos, aquele tipo de conduta não seria mais tolerado, uma vez que esses últimos desdobramentos haviam transcendido os limites da sanidade e constituído uma ameaça à ordem e ao bem-estar de todos os habitantes da casa. Não restava dúvida de que o jovem havia perdido completamente o juízo, pois nada além da loucura consumada poderia ter resultado nos gritos frenéticos e nas conversações imaginárias com interpretação de diferentes vozes que aquele dia havia trazido. Tudo precisava acabar, ou a Sra. Ward acabaria doente e se tornaria impossível manter a criadagem.

O Sr. Ward levantou-se no fim da refeição e começou a subir as escadas em direção ao laboratório de Charles. No entanto, no terceiro andar, parou ao ouvir os sons que vinham da biblioteca do filho, agora em desuso. Teve a impressão de que os livros estavam sendo atirados pela sala e os papéis eram amassados de modo frenético e, ao chegar à porta, o Sr. Ward observou o jovem no interior do cômodo, reunindo, com empolgação, uma enorme braçada de material literário de todos os tamanhos e formatos.. O aspecto de Charles era de cansaço e desalento extremos, e o jovem deixou cair toda a carga com um sobressalto ao escutar a voz do pai. Ao comando do patriarca, sentou-se, e por algum tempo escutou as admoestações havia tanto tempo merecidas. Não houve cena alguma. No fim da reprimenda, o filho aceitou que o pai tinha razão, e que os ruídos, balbucios, encantamentos e odores químicos de fato eram aborrecimentos imperdoáveis. Concordou em adotar uma conduta mais silenciosa, embora insistisse em um prolongamento da privacidade extrema. Declarou que muito do trabalho que ainda restava fazer resumia-se a pesquisas bibliográficas, e que podia alojar-se em outro lugar para as vocalizações rituais, necessárias em um estágio mais avançado. Expressou o mais profundo arrependimento em relação ao susto e ao desmaio da mãe, e explicou que a conversa ouvida mais tarde havia sido parte de um elaborado simbolismo que tinha por meta criar uma certa atmosfera mental. O uso de termos técnicos e abstrusos desorientou o Sr. Ward, mas a impressão geral foi de inegável sanidade e compostura, apesar de uma tensão misteriosa da mais profunda gravidade. A entrevista revelou-se um tanto inconclusiva, e quando Charles juntou os livros e deixou o recinto, o Sr. Charles mal sabia o que pensar a respeito da situação como um todo. Era tão misteriosa quanto a morte do velho Nig, cujo corpo rígido havia sido encontrado uma hora antes no porão, com os olhos vidrados e a boca distorcida pelo medo.

Levado por um vago instinto de detetive, o pai desorientado lançou olhares curiosos às prateleiras vazias a fim de averiguar quais volumes o filho havia levado para o sótão. A biblioteca do jovem apresentava uma organização clara e rígida ao extremo, de maneira que em um único relance era possível identificar os livros ou ao menos o tipo dos livros que haviam sido levados. Nessa ocasião, o Sr. Ward surpreendeu-se ao descobrir que nenhuma das obras antiquárias ou ocultistas, além das que já tinham sido removidas, fora levada. As novas remoções diziam respeito apenas a itens recentes: livros de história, tratados científicos, atlas de geografia, manuais de literatura, compêndios filosóficos e certos jornais e periódicos contemporâneos. Era uma mudança bastante curiosa em vista da recente lista de leituras de Charles Ward, e o pai deteve-se em meio a uma voragem cada vez maior de perplexidade e de estranheza. A estranheza revelou-se uma sensação muito aguçada, e quase lhe arranhava o peito enquanto se esforçava por descobrir o que estaria errado. Não havia dúvidas de que algo estava errado, não apenas em termos tangíveis, mas também espirituais. Desde o instante em que adentrou o recinto, o Sr. Ward teve o pressentimento de que havia alguma coisa fora dos conformes, e por fim percebeu o que era. Na parede norte ainda se erguia o antigo painel entalhado da casa em Olney Court, porém, o desastre havia recaído sobre os óleos craquelados e precariamente restaurados do grande retrato de Curwen. O tempo e o aquecimento irregular por fim surtiram efeito, e em um momento qualquer desde a última limpeza do cômodo o pior havia acontecido. Após se desprender da madeira e encarquilhar-se em voltas cada vez mais próximas, até enfim pulverizar-se em pequenos cacos em um movimento repentino e silencioso de malignidade latente, o retrato de Joseph Curwen abandonara para sempre a vigilância constante do jovem com quem tanto se parecia e, naquele instante, encontrava-se espalhado pelo chão como uma fina camada de pó cinza-azulado.

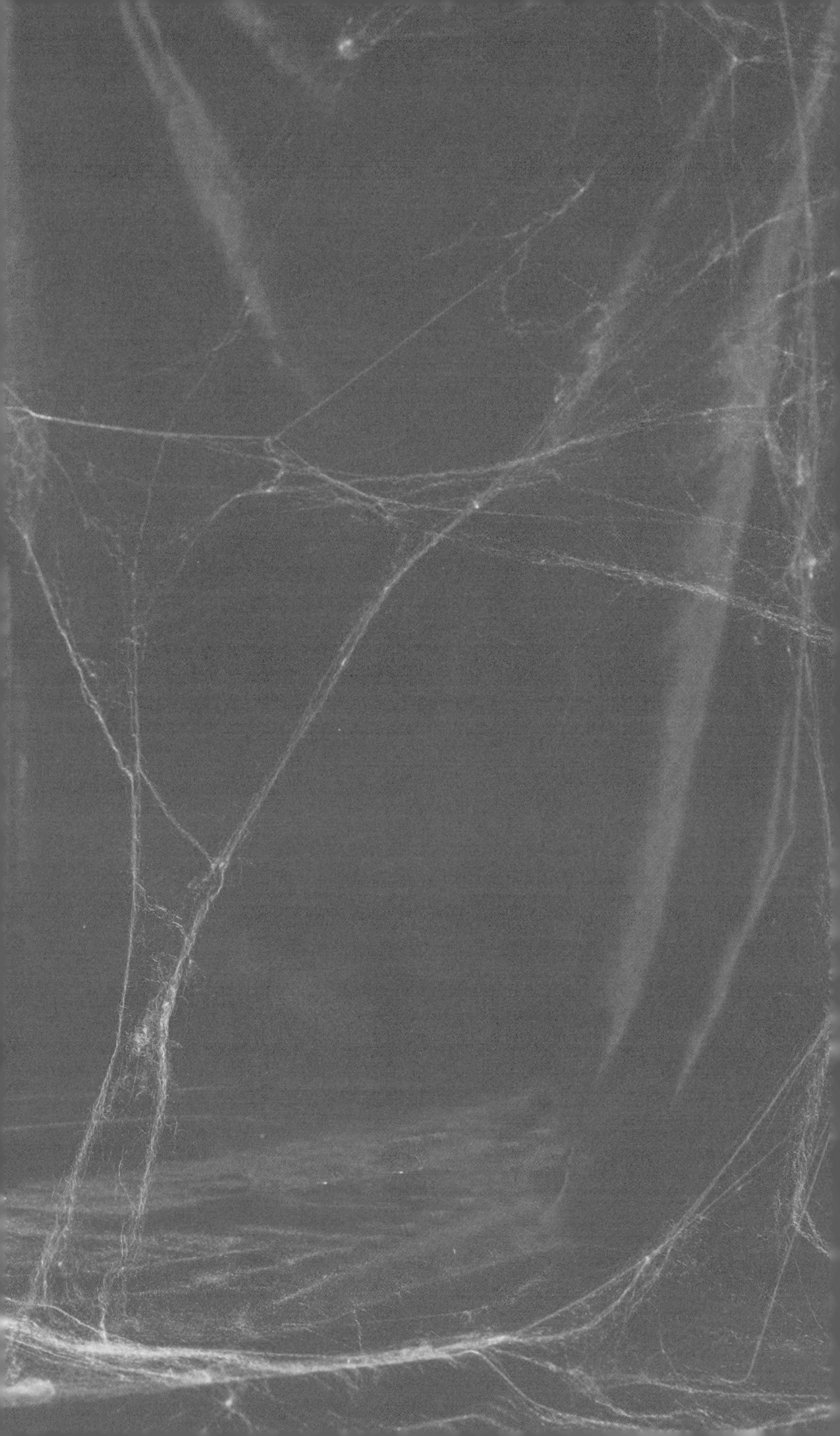

4
Uma mutação e uma loucura

1.

Na semana que se seguiu à memorável Sexta-Feira Santa, Charles Ward foi visto com mais frequência do que o normal, e passou o tempo inteiro carregando livros entre a biblioteca e o laboratório no sótão. Executava as ações de maneira calma e racional, mas tinha um olhar furtivo e acuado que em nada agradou à mãe, e desenvolveu um apetite incrivelmente voraz no que dizia respeito às exigências feitas à cozinheira. O Dr. Willett ouviu relatos acerca dos ruídos e desdobramentos da sexta-feira, e na terça-feira seguinte teve uma longa conversa com o jovem na biblioteca onde o retrato não mais vigiava. A entrevista, como sempre, foi inconclusiva; mas Willett continuava disposto a jurar que o rapaz mantinha o pleno domínio das faculdades mentais naquele momento. Fez promessas de uma próxima revelação e falou sobre a necessidade de montar um laboratório em outra parte. Em vista do entusiasmo inicial, Charles demonstrou pouco remorso em relação à perda do retrato, dando a impressão de ter descoberto um elemento positivo na súbita degradação da pintura.

Por volta da segunda semana, Charles começou a se ausentar da casa por longos períodos e, certo dia, quando veio ajudar com a faxina de primavera, a boa e velha negra Hannah mencionou as frequentes visitas que Charles fazia à antiga casa em Olney Court, onde aparecia com uma valise enorme e conduzia singulares buscas no porão. Costumava mostrar-se muito à vontade na presença da criada e do velho Asa, embora parecesse sempre mais preocupado do que costumava aparentar – o que muito a angustiava, visto que conhecia o jovem patrão desde o dia em que havia nascido. Outro relato sobre os afazeres de Charles chegou de Pawtuxet, onde certos amigos da família afirmaram tê-lo visto à distância um surpreendente número de vezes. Parecia frequentar o balneário e a garagem de barcos de Rhodes-on-the-Pawtuxet, e os questionamentos posteriores feitos pelo Dr. Willett nesse local trouxeram à tona o fato de que o propósito do investigador era sempre encontrar uma via de acesso à margem do rio, cercada por arbustos ao longo dos quais costumava seguir rumo ao norte, e em geral demorava a retornar.

No fim de maio houve uma retomada momentânea dos sons ritualísticos no laboratório do sótão que provocou uma severa repreenda do Sr. Ward e uma promessa um tanto distraída de Charles de que se retificaria. Tudo aconteceu pela manhã, e parecia consistir em uma continuação da conversa imaginária percebida na turbulenta Sexta-Feira Santa. O jovem mantinha um debate ou uma discussão acalorada consigo mesmo, pois de repente ergueu-se uma série perfeitamente reconhecível de gritos conflitantes em diferentes tons, como se fossem exigências e recusas alternadas, que levou a Sra. Ward a subir a escada correndo e postar-se junto à porta a fim de escutar. Não pôde ouvir mais do que um fragmento cujas únicas palavras audíveis foram "preciso que fique vermelho durante três meses", e, quando bateu, todos os sons cessaram no mesmo instante. Quando mais tarde foi questionado pelo pai, Charles afirmou que havia certos conflitos de esferas da consciência que somente uma grande habilidade seria capaz de evitar, mas que se esforçaria por transferi-los a outros reinos.

No meio de junho, ocorreu um bizarro incidente noturno. No fim da tarde, ouviram-se barulhos e estrépitos no laboratório do sótão, e o Sr. Ward esteve a ponto de investigá-los quando, de repente, cessaram. À meia-noite, depois que a família tinha se recolhido, o mordomo estava trancando a porta da frente quando, de acordo com o depoimento, Charles apareceu com passos cambaleantes e incertos junto ao pé da escada com uma enorme valise e pôs-se a fazer sinais indicativos de que queria sair. O jovem não proferiu sequer uma palavra, mas o valoroso nativo de Yorkshire percebeu o olhar febril do patrão e começou a tremer sem saber ao certo por quê. Abriu a porta e o jovem

Ward saiu, porém, na manhã seguinte o homem pediu demissão à Sra. Ward. Segundo disse, havia algo de profano no olhar com que Charles o havia encarado. Não convinha que um jovem cavalheiro olhasse para um empregado honesto daquela maneira, e assim o mordomo afirmou que não poderia ficar sequer mais uma noite. A Sra. Ward dispensou-o, mas não deu muita importância ao comentário. Imaginar Charles em um estado febril naquela noite parecia um tanto ridículo, pois durante todo o tempo em que esteve acordada a Sra. Ward não ouviu mais do que rumores no laboratório do sótão; sons que sugeriam passos e um choro convulsivo, e suspiros que nada revelavam além de um profundo desespero. A mulher havia se acostumado a apurar o ouvido em busca de sons durante a noite, pois o mistério do filho sobrepunha-se a todos os demais pensamentos.

No entardecer seguinte, como em outro entardecer cerca de três meses antes, Charles Ward pegou o jornal muito cedo e acidentalmente perdeu a seção principal. O assunto foi retomado apenas mais tarde, quando o Dr. Willett começou a investigar as pontas soltas e a buscar os elos faltantes aqui e acolá. Na redação do *Journal*, conseguiu encontrar a seção que Charles havia perdido, e identificou duas notas de possível interesse. Ei-las:

MAIS ESCAVAÇÕES NO CEMITÉRIO

Hoje pela manhã, Robert Hart, o guarda-noturno do North Burial Ground, descobriu que ladrões de sepultura estiveram mais uma vez em atividade na parte antiga do cemitério. O túmulo de Ezra Weeden, nascido em 1740 e falecido em 1824, segundo a lápide de ardósia tombada e completamente lascada, foi escavado e violado, sem dúvida mediante o uso de uma pá que se encontrava na casa de ferramentas adjacente.

Qualquer que pudesse ser o conteúdo do jazigo mais de um século após a ocasião do enterro, não se encontrou nada além de umas poucas lascas de madeira apodrecida. Não havia marcas de rodas, mas a polícia examinou as pegadas encontradas nas proximidades e concluiu que foram deixadas pelas botas de um homem requintado.

*Hart acredita que o incidente esteja relacionado à escavação frustrada de março passado, quando um grupo de homens em um caminhão foi descoberto após cavar um buraco um tanto profundo, mas o sargento Riley, da Segunda Delegacia de Polícia, descarta essa hipótese e afirma haver diferenças fundamentais entre os dois casos. Em março, a escavação ocorreu em um local onde não havia nenhuma sepultura conhecida; porém, dessa vez um túmulo bem sinalizado e em boas condições de preservação foi violado de maneira voluntária e com requintes de malignidade consciente expressos na depredação na lápide, que se encontrava intacta no dia anterior ao ocorrido.
Os membros da família Weeden manifestaram espanto e pesar, e não conseguiram pensar em nenhum inimigo que pudesse querer profanar o túmulo desse antepassado. Hazard Weeden, domiciliado à Angell Street, 598, afirma conhecer uma lenda segundo a qual Ezra Weeden teria se envolvido em circunstâncias bastante peculiares, embora não desonrosas, pouco antes da Revolução; mas desconhece qualquer inimizade ou mistério na época atual. O inspetor Cunningham assumiu o caso e espera descobrir pistas valiosas nos próximos dias.*

CACHORROS EM POLVOROSA EM PAWTUXET

Os moradores de Pawtuxet acordaram por volta das três horas da manhã de hoje com o alarido ensurdecedor dos inúmeros cachorros que latiam, principalmente às margens do rio logo ao norte de Rhodes-on-the-Pawtuxet. Segundo o relato de testemunhas, o volume e a qualidade dos uivos era singular ao extremo; e Fred Lemdin, o guarda-noturno em Rhodes, afirmou que, em meio ao alarido, era possível distinguir o que pareciam ser os gritos de um homem em terror e agonia mortais. Uma tempestade elétrica breve e intensa, que começou próximo às margens do rio, pôs fim ao tumulto. Estranhos e desagradáveis odores com provável origem nos tanques de óleo dispostos ao longo da baía foram identificados como provável causa do incidente, e de fato podem ter contribuído para alterar o temperamento dos animais.

O aspecto de Charles agora tornara-se muito conturbado e atormentado e todos concordaram posteriormente que nesse período ele talvez desejasse prestar alguma declaração ou fazer uma confissão das quais se abstinha por mero terror. O mórbido hábito da Sra. Ward de escutar à noite revelou que Charles Ward com frequência saía da casa sob o manto da escuridão, e a maior parte dos psiquiatras mais acadêmicos associam-no aos revoltantes casos de vampirismo que a imprensa noticiou com requintes sensacionalistas na época, embora ainda não tenham sido atribuídos de maneira conclusiva a nenhum malfeitor conhecido. Aqueles casos, demasiado recentes e célebres para que seja necessário entrar em detalhes, envolvem vítimas das mais variadas características e faixas etárias, e parecem centrar-se em duas localidades distintas: na parte residencial do morro e no North End, próximos à casa da família, e nos distritos suburbanos do outro lado da Cranston Line, próximo a Pawtuxet. Viajantes noturnos e pessoas acostumadas a dormir com as janelas abertas foram vítimas de ataques, e os que sobreviveram para contar a história falaram em um monstro esbelto e ágil que soltava fogo nos olhos, cravava os dentes na garganta ou na parte superior do braço da vítima e banqueteava-se com um apetite voraz.

O Dr. Willett, que se recusa a datar a loucura de Charles Ward até mesmo nessa época, mostra-se cauteloso ao tentar explicar esses horrores. Afirma ter certas teorias próprias e limita suas declarações positivas a um tipo peculiar de negação. "Não pretendo", diz ele, "apontar quem ou o que acredito ter perpetrado esses ataques e assassinatos, mas declaro que Charles Ward era inocente. Tenho razões para garantir que ele ignorava o gosto do sangue, como de fato seu contínuo definhamento físico, em função da anemia, e uma crescente palidez comprovam mais do que qualquer argumento verbal. Ward se envolveu com coisas terríveis, mas pagou por isso; ele jamais foi um monstro ou um vilão. Quanto ao que está acontecendo agora, nem gosto de pensar. Houve uma mudança e quero crer que o velho Charles Ward morreu com ela. Sua alma morreu, de qualquer forma, mas o corpo tresloucado que desapareceu do hospital de Waite tinha outra".

Willett falava com autoridade, pois estava com frequência na casa dos Ward cuidando da Sra. Ward, cujos nervos haviam começado a se deteriorar com a tensão. As audições noturnas haviam engendrado alucinações mórbidas reveladas com certo receio para o médico, que as ridicularizava ao falar com a paciente, mas ponderava-as em profundas reflexões quando sozinho. Todos esses delírios referiam-se aos sons tênues que a Sra. Ward imaginava ouvir no laboratório e no quarto do sótão, e enfatizavam a ocorrência de suspiros abafados e choro nos horários mais impossíveis. No início de julho, Willett mandou a Sra. Ward passar uma temporada de convalescência em Atlantic City sem data para voltar, e orientou o Sr. Ward e o desalentado e fugidio Charles a escrever-lhe apenas com boas notícias. É possível que a mulher deva a sanidade e a própria vida a esse afastamento indesejado e compulsório.

2.

Pouco tempo após a partida da mãe, Charles Ward começou a negociar a casa em Pawtuxet. Era uma pequena e sórdida construção de madeira com uma garagem de concreto, empoleirada no alto da margem esparsamente povoada do rio acima de Rhodes, mas, por algum motivo bizarro, o jovem não demonstrou interesse por nenhuma outra propriedade. Tampouco deu sossego aos corretores imobiliários enquanto não lograram comprar o imóvel de um proprietário avesso ao negócio por uma soma exorbitante, e, assim que a casa foi desocupada, Charles instalou-se no local sob o manto da noite, transportando em um grande caminhão fechado todo o conteúdo do laboratório no sótão, incluindo os livros que havia retirado do gabinete. O caminhão foi carregado durante as trevas da madrugada, e o pai recorda-se apenas de perceber imprecações abafadas e o som de passos na noite em que os bens foram levados. A seguir, Charles tornou a ocupar os antigos aposentos no terceiro andar e nunca mais voltou a frequentar o sótão.

Para a casa em Pawtuxet Charles levou todo o sigilo que antes rodeava o antigo reino do sótão. A única diferença foi que, a partir desse ponto, passou a dar a impressão de ter dois companheiros de mistério: um mestiço português de aspecto repulsivo que trabalhava na zona portuária da South Main Street como criado e um magro e erudito forasteiro que usava óculos escuros e uma barba cerrada de aspecto tingido cuja posição era sem dúvida a de um colega. Os vizinhos tentaram em vão entabular conversas com esses singulares personagens. O mulato Gomes falava muito pouco inglês e o sujeito barbudo, que dissera chamar-se Dr. Allen, seguia voluntariamente seu exemplo. O próprio Ward tentou ser mais afável, mas só conseguiu provocar a curiosidade com seus relatos desconexos a respeito de pesquisas químicas. Não tardou para que estranhas histórias referentes a luzes acesas a noite toda começassem a circular, e, pouco tempo depois, quando cessaram, surgiram histórias mais esquisitas ainda sobre encomendas descomunais de carne no açougue e gritos, entoações abafadas, recitações rítmicas e berros supostamente provenientes de algum local subterrâneo e profundo debaixo da casa. É evidente que a nova e estranha residência era profundamente detestada pela honesta burguesia da vizinhança, e não é de estranhar que tenham sido levantadas terríveis suspeitas ligando seus habitantes à atual epidemia de ataques vampirescos, em particular devido ao fato de que o raio de ação parecia agora restringir-se totalmente a Pawtuxet e às ruas adjacentes de Edgewood.

Ward passava a maior parte do tempo na casa em Pawtuxet, mas por vezes dormia na mansão da família e ainda era reconhecido como morador sob o teto do pai. Por duas vezes ausentou-se da cidade em viagens de uma semana cujos destinos ainda não foram descobertos. Estava cada vez mais pálido e mais descarnado e parecia ter perdido a antiga convicção quando repetiu para o Dr. Willett a velha história sobre pesquisas vitais e revelações futuras. Willett muitas vezes interpelava-o na casa do pai, pois o patriarca Ward demonstrava perplexidade e preocupação extremas e desejava que o filho recebesse tanta supervisão quanto fosse possível oferecer a um adulto tão sigiloso e independente. O médico insistia em afirmar que o rapaz mantinha o pleno domínio de todas as faculdades mentais até esse ponto e apresentava evidências colhidas ao longo de inúmeras conversas para demonstrar essa afirmação.

Por volta de setembro, os casos de vampirismo diminuíram, mas no mês de janeiro do ano seguinte Ward quase acabou envolvido em problemas sérios. Por um tempo a chegada e a saída de caminhões à noite na casa de Pawtuxet tinham sido motivo de comentários, e foi nessa circunstância que um obstáculo inesperado revelou a natureza de pelo menos um item transportado nos carregamentos. Um local isolado próximo ao Hope Valley foi palco de uma das frequentes e sórdidas emboscadas promovidas pelos assaltantes de caminhões em busca de carregamentos de bebida, porém, dessa vez, os ladrões estavam destinados a levar um tremendo susto. Ao serem abertas, as caixas oblongas das quais se haviam apossado revelaram coisas medonhas ao extremo; a bem dizer, tão medonhas que não foram mantidas em sigilo nem mesmo pelos frequentadores do submundo. Os ladrões enterraram às pressas o que haviam encontrado, mas quando a polícia tomou conhecimento do caso, iniciou-se uma busca minuciosa. Um andarilho preso não muito tempo antes, mediante a promessa de que não seria indiciado por nenhum outro crime, por fim concordou em levar um grupo de investigadores ao local e, no esconderijo cavado às pressas, foi encontrado um carregamento vergonhoso e horrendo. Não faria bem ao decoro nacional ou mesmo internacional que a população soubesse o que foi encontrado por esse atônito grupo de investigadores.

Não havia engano possível, nem mesmo para aqueles investigadores nada estudiosos, e logo telegramas foram despachados para Washington com uma rapidez frenética.

As caixas eram endereçadas a Charles Ward em sua casa em Pawtuxet e agentes estaduais e federais imediatamente fizeram-lhe uma visita com motivos enérgicos e sérios. Encontraram-no pálido e preocupado com seus dois estranhos companheiros e receberam dele o que lhes pareceu uma explicação válida e provas de inocência. O rapaz necessitara de alguns espécimes anatômicos como parte de um programa de pesquisa cuja profundidade e autenticidade qualquer um que o conhecesse na última década poderia comprovar, e encomendara tipo e número exigidos a certas agências que ele julgara tão legítimas quanto esse tipo de coisas poderia ser. Quanto à identidade do espécime, afirmou nada saber, e a bem da verdade mostrou-se chocado quando os inspetores sugeriram o impacto monstruoso que o ocorrido poderia ter sobre o sentimento público e a dignidade nacional se porventura viesse à tona. O depoimento foi confirmado pelo colega barbudo, Dr. Allen, cuja estranha voz cava transmitia ainda mais convicção do que o tom nervoso em que se expressava; e assim os oficiais decidiram não levar o caso adiante e limitaram-se a anotar o nome e o endereço em Nova York que Ward havia mencionado como ponto de partida para uma busca que no fim não deu em nada. Cabe mencionar que os espécimes foram devolvidos ao lugar de origem com a maior brevidade e o maior sigilo possíveis, e que a população jamais tomará conhecimento dessa profanação blasfema.

No dia 9 de fevereiro de 1928, o Dr. Willett recebeu de Charles Ward uma carta que considerou ser de extraordinária importância e que serviu como tema de inúmeras discussões com o Dr. Lyman. Este acreditou que a correspondência trazia provas irrefutáveis de um evidente caso de *dementia praecox*, enquanto Willett a interpretou como a última manifestação salubre do malfadado jovem. O médico da família chamou especial atenção para a caligrafia, que, embora trouxesse evidências de uma alteração nervosa, representava de maneira fidedigna o estilo de Ward. Eis o texto integral da carta:

Prospect St., 100, Providence, R.I., 8 de março de 1928.

CARO DR. WILLETT – Sinto que enfim chegou o momento de fazer as revelações que há muito tempo prometi ao senhor, e pelas quais o senhor tantas vezes me pressionou. A paciência demonstrada nessa espera e a confiança evidenciada pelo senhor em relação à minha sanidade e à minha integridade serão motivos de eterno apreço da minha parte.
Mesmo agora, quando me encontro disposto a falar, reconheço humilhado que um triunfo como o que idealizei jamais poderá ser atingido – pois, em vez do triunfo, encontrei o terror, e a revelação que ora ofereço não é a bravata de um vitorioso, mas apenas o pedido de um suplicante em busca de ajuda e de conselhos para salvar a si mesmo e ao mundo de um horror que transcende toda a concepção humana. Com certeza o senhor recorda o que as cartas de Fenner dizem a respeito do antigo grupo encarregado da invasão em Pawtuxet. Tudo aquilo precisa ser feito mais uma vez, e depressa. De nossas providências

dependem mais coisas do que seria possível expressar em palavras – todas as civilizações, todas as leis naturais e talvez até mesmo o destino do sistema solar e do universo como um todo. Eu trouxe à luz do dia uma aberração monstruosa, porém meu único objetivo era a obtenção de conhecimento. Agora, em nome da vida e da Natureza, o senhor precisa me ajudar a empurrá-la de volta para as trevas.

Abandonei a residência em Pawtuxet para sempre, e precisamos aniquilar tudo aquilo que lá se encontra, independentemente de estar vivo ou morto. Não pretendo voltar jamais àquele lugar, e o senhor não deve acreditar se em algum momento receber notícias de que me encontro lá.

Prometo explicar o motivo quando nos encontrarmos pessoalmente. Voltei para casa em definitivo, e gostaria que o senhor me fizesse uma visita na primeira oportunidade em que possa dispor de cinco ou seis horas ininterruptas para ouvir o que tenho a dizer. Todo esse tempo será necessário – e acredite em mim quando digo que o senhor nunca teve um dever profissional mais genuíno do que esse. Minha vida e minha sanidade são as coisas menos importantes que estão em jogo.

Não me atrevo a contar nada ao meu pai, que não conseguiria apreender o todo. Mesmo assim, informei-o do perigo atual, e agora temos quatro homens de uma agência de detetives vigiando a casa. Não tenho certeza de que possam ter grande serventia, pois o oponente é uma força que mesmo o senhor mal poderia conceber ou admitir. Assim, peço que venha logo se pretende me encontrar vivo e saber como pode ajudar a salvar o cosmos de um inferno completo.

Venha a qualquer momento – não vou mais sair de casa. Não telefone antes, pois não há como saber quem ou o que pode tentar emboscá-lo no caminho. Rezemos a quaisquer deuses que existam para que nada possa impedir nosso encontro.

Na mais absoluta gravidade e desespero,
CHARLES DEXTER WARD.

P.S.: Caso encontre o Dr. Allen, mate-o a tiros no ato e dissolva o corpo em ácido. Não o queime.

O Dr. Willett recebeu o bilhete por volta das dez e meia da manhã e imediatamente resolveu dedicar todo o fim do entardecer e toda a noite a essa importantíssima conversa, disposto a permitir que se estendesse por tanto tempo quanto fosse necessário. Planejou chegar por volta das quatro horas da tarde, e durante o tempo que antecedeu o encontro viu-se tão distraído por todo tipo de especulações improváveis que executou a maioria das tarefas de forma mecânica. Por mais lunática que a carta pudesse ter soado aos ouvidos de um estranho, Willett conhecia as excentricidades de Charles Ward demasiado a fundo para considerá-las um simples caso de alucinação. Tinha quase certeza de que uma sombra furtiva, antiga e terrível pairava sobre a revelação, e a referência ao Dr. Allen quase podia ser compreendida à luz do que os boatos correntes em Pawtuxet diziam a respeito do enigmático colega de Ward. Willett nunca o tinha visto, mas escutara vários comentários sobre o aspecto e o porte desse personagem, e por esse motivo nutria uma certa curiosidade em relação aos olhos que os óculos escuros discutidos nas mais variadas rodas sociais podiam ocultar.

Pontualmente às quatro horas da tarde, o Dr. Willett apresentou-se na residência dos Ward, porém descobriu, com justificada frustração, que Charles não cumprira a promessa de manter-se em casa. Os guardas estavam a postos, mas informaram-lhe que o jovem aparentava ter perdido um pouco da timidez. Segundo um dos detetives, naquela manhã tinha feito reclamações e protestos um tanto receosos ao telefone, respondendo a uma voz desconhecida com frases como "Estou muito cansado e preciso descansar um pouco", "Não posso receber ninguém por algum tempo, desculpe", "Por favor, adie as medidas decisivas para quando pudermos chegar a um meio-termo" e "Lamento, mas preciso tirar férias de tudo; conversamos mais tarde". Por fim, tendo aparentemente encontrado coragem na meditação, esgueirou-se para a rua com tanto sigilo que ninguém o viu partir ou sequer percebeu que havia se ausentado enquanto não voltou, por volta da uma hora da tarde, e entrou na casa sem dizer uma palavra. Subiu as escadas de imediato, o que parece ter causado o ressurgimento parcial do medo, pois, quando entrou na biblioteca, ouviram-no soltar um grito de pavor que aos poucos deu lugar a uma espécie de arquejo sufocado.

Quando, no entanto, o mordomo subiu para averiguar qual era o problema, Charles recebeu-o junto à porta com uma grande demonstração de coragem e dispensou-o com um gesto que infundiu no serviçal um terror inexplicável. A seguir, procedeu sem dúvida a uma reorganização das prateleiras, uma vez que se ouviram estrépitos, baques e rangidos; e por fim reapareceu e de imediato saiu da casa. Willett perguntou se Ward teria deixado alguma mensagem, mas foi informado de que não havia nenhuma. O mordomo parecia demonstrar uma estranha perturbação relativa a alguma coisa na aparência e nos modos de Charles, e indagou, preocupado, se havia esperança de cura para o estado de nervos em que se encontrava.

Durante quase duas horas, o Dr. Willett esperou em vão na biblioteca de Charles Ward, observando as prateleiras cobertas de poeira e repletas de grandes espaços vazios de onde haviam sido retirados os livros, e sorrindo severamente para o painel da chaminé na parede norte, de onde um ano antes as feições afáveis de Joseph Curwen olhavam com ar benigno para baixo.

Passado algum tempo, as sombras do crepúsculo adensaram-se, e o pôr do sol deu lugar a um vago terror crescente que fugia como uma sombra perante a noite. O Sr. Ward por fim chegou e demonstrou surpresa e raiva ao saber da ausência do filho depois de todas as precauções que tomara para resguardá-lo. Não sabia nada acerca do encontro marcado por Charles, e prontificou-se a notificar Willett assim que o jovem retornasse. Ao despedir-se do médico, expressou a mais absoluta perplexidade em relação à situação do filho, e suplicou ao visitante que fizesse todo o possível a fim de restabelecer a compostura normal do rapaz. Willett sentiu-se aliviado ao deixar a biblioteca, pois algo terrível e profano dava a impressão de assombrar o lugar, como se o retrato desaparecido tivesse deixado para trás um legado maligno. Nunca tinha gostado daquela pintura e, naquele instante, por mais domínio que tivesse sobre os próprios nervos, uma qualidade indefinível no painel vazio o fazia sentir a necessidade urgente de sair para o ar puro o mais depressa possível.

3.

Na manhã seguinte, Willett recebeu uma mensagem do patriarca Ward dizendo que Charles seguia ausente. O Sr. Ward mencionou que o Dr. Allen telefonara para dizer que Charles permaneceria em Pawtuxet por algum tempo e que não devia ser perturbado. Todas essas medidas eram necessárias porque o próprio Allen de repente viu-se obrigado a se ausentar por um período indefinido, durante o qual as pesquisas seriam deixadas aos cuidados de Charles. O jovem Ward havia mandado saudações e pedia desculpas por quaisquer transtornos causados pela súbita mudança de planos. O Sr. Ward escutou a voz do Dr. Allen pela primeira vez ao ouvir essa mensagem, e o timbre pareceu reavivar uma lembrança vaga e fugidia que não podia ser identificada de maneira precisa, mas se mostrava perturbadora a ponto de causar temor.

Ao confrontar-se com esses relatos contraditórios e intrigantes, o Dr. Willett não soube como reagir.

Não havia como negar a seriedade frenética do bilhete de Charles, mas o que se poderia cogitar a respeito da violação imediata das políticas expressas pelo próprio missivista? O jovem Ward escrevera que os aposentos que habitava tinham se transformado em um lugar blasfemo e ameaçador, que deviam ser aniquilados juntamente com o colega barbudo a qualquer custo e que ele próprio jamais retornaria ao local; porém, de acordo com os últimos relatos, havia se esquecido de tudo e voltado a envolver-se com o mistério. O senso comum recomendaria deixar o jovem em paz com essas excentricidades, porém, um instinto mais profundo impedia que a impressão causada pela carta frenética desaparecesse. Willett leu e releu a mensagem, mas não conseguiu fazer com que sua soasse vazia e insana como a verborragia bombástica e a súbita inobservância da conduta recomendada poderiam sugerir. O terror era demasiado profundo e real e, somado a tudo que o médico sabia, evocava sugestões excessivamente vívidas de monstruosidades para além do tempo e do espaço para que permitissem qualquer tipo de explicação mais cética. Havia horrores inomináveis à espreita; e, por mais improvável que se afigurasse uma tentativa de aproximação, era necessário estar preparado para tomar providências a qualquer momento.

Por mais de uma semana, o Dr. Willett meditou sobre o dilema que parecia haver se imposto, e assim viu-se cada vez mais inclinado a fazer uma visita a Charles na casa em Pawtuxet. Nenhum amigo do jovem havia se aventurado a penetrar no refúgio proibido, e mesmo o patriarca Ward conhecia apenas os detalhes interiores que o filho descrevera; mas Willett sentiu que uma conversa direta com o paciente seria necessária. O Sr. Ward vinha recebendo correspondências breves e evasivas do filho, sempre datilografadas, e afirmou que a situação da Sra. Ward não era diferente em Atlantic City.

Por fim, o Dr. Willett decidiu agir e, apesar de uma sensação curiosa inspirada pelas velhas lendas a respeito de Joseph Curwen e das revelações e alertas recentes de Charles Ward, partiu cheio de coragem rumo à casa situada nas margens do rio.

Movido por uma profunda curiosidade, Willett já havia visitado o local, embora jamais tivesse adentrado a casa ou mencionado essa incursão; e, portanto, sabia exatamente qual caminho seguir. Depois de pegar o carro e tomar a Broad Street em uma tarde no fim de fevereiro, pensou com certa estranheza no sinistro grupo de homens que havia tomado aquele mesmo caminho cento e cinquenta e sete anos atrás para cumprir uma missão que ninguém jamais poderá compreender.

O trajeto pela periferia decadente da cidade era curto, e a graciosa Edgewood e a sonolenta Pawtuxet logo se estenderam à frente. Willett virou à esquerda para descer a Lockwood Street e continuou dirigindo pela estrada rural até onde era possível; então desceu do carro e prosseguiu a pé rumo ao norte, onde a margem erguia-se em meio às belas curvas do rio e aos rochedos nebulosos que se espraiavam mais além. As casas ainda eram um tanto esparsas naquele ponto, e não havia como enganar-se a respeito da construção com a garagem de concreto em um ponto elevado à esquerda. Após subir a passos lépidos a estrada de cascalho abandonada, o médico bateu à porta com a mão firme e falou sem nenhum temor com o mulato português que a abriu pouco mais do que uma fresta.

Alegou que precisava ver Charles Ward o quanto antes para discutir um assunto de vital importância. Nenhuma desculpa seria aceita, e uma eventual recusa significaria um relato completo do ocorrido ao patriarca Ward. O mulato continuou hesitante e empurrou a porta no momento em que Willett tentou abri-la; porém, o médico ergueu a voz e tornou a repetir as exigências. Nesse instante, veio do interior sombrio um sussurro rouco que enregelou o sangue do visitante, ainda que não conhecesse o motivo desse temor. "Deixe-o entrar, Tony", disse a voz; "agora podemos conversar." Mas por mais perturbador que fosse o sussurro, um temor ainda maior veio logo a seguir. O assoalho estalou e o misterioso interlocutor se revelou – e o dono daquela estranha e ribombante voz não era outro senão Charles Dexter Ward.

A precisão com que o Dr. Willett recordou e registrou a conversa dessa tarde deve-se à importância que atribui a esse período em particular. A partir desse ponto, o médico enfim reconhece a ocorrência de uma alteração fundamental na mentalidade de Charles Dexter Ward, e acredita que o jovem que encontrou na casa em Pawtuxet falava movido por ideias e pensamentos totalmente estranhos às ideias e aos pensamentos do rapaz que tinha acompanhado ao longo de vinte e seis anos. A polêmica com o Dr. Lyman obrigou-o a ser mais específico, e assim o Dr. Willett afirmou que a loucura de Charles Ward começou na época em que passou a enviar as correspondências datilografadas para os pais. Essas correspondências não apresentam o estilo habitual de Ward nem no estilo da última carta frenética endereçada a Willett.

Parecem estranhas e arcaicas, como se o colapso mental do remetente tivesse feito transbordar uma torrente de pendores e impressões acumuladas de maneira inconsciente ao longo de toda uma infância de apreço ao antiquarismo. Percebe-se uma evidente tentativa de parecer moderno, porém, o espírito e por vezes a linguagem das cartas remontam ao passado.

O passado também se evidenciou na postura e nos gestos de Ward quando recebeu o Dr. Willett na casa obscura. Charles fez uma mesura, indicou um assento a Willett e, sem mais delongas, começou a falar de repente naquele estranho sussurro que tentou explicar desde o primeiro momento.

"Estou tísico", disse, "por causa dos ventos desse rio maldito. Por favor, não repare na minha voz. Imagino que o meu pai o tenha mandado averiguar o que me aflige, mas espero que o senhor não leve notícias alarmantes."

Willett estudou aqueles sons com o maior cuidado, mas estudou ainda mais de perto a expressão do interlocutor. Percebeu que havia alguma coisa errada; e lembrou-se do que a família lhe dissera a respeito do susto que o mordomo de Yorkshire havia tomado em uma certa noite. Desejou que não estivesse tão escuro, mas não pediu que as cortinas fossem abertas. Em vez disso, simplesmente perguntou a Ward por que tinha contrariado o bilhete frenético enviado pouco menos de uma semana antes.

"É o que eu gostaria de explicar", respondeu o anfitrião. "Como o senhor deve saber, meus nervos encontram-se em um estado deveras precário, e assim me levam a dizer e a fazer coisas pelas quais não posso ser responsabilizado. Conforme afirmei em inúmeras ocasiões, estou envolvido em pesquisas de extrema importância, e a grandeza dessas pesquisas por vezes embota-me os pensamentos. Qualquer um haveria de sentir-se assustado pelo que descobri, mas não posso adiar meu progresso por muito tempo. Sinto-me um idiota por ter pedido aquela guarda e me decidido a ficar em casa, pois o meu lugar é aqui. Não sou bem falado por meus vizinhos bisbilhoteiros, e talvez a fraqueza tenha me levado a acreditar no que disseram a meu respeito. Não há mal algum no que faço, desde que eu o faça direito. Tenha a bondade de aguardar seis meses e hei de recompensar sua paciência".

"O senhor deve saber que tenho maneiras de inteirar-me a respeito de temas antigos valendo-me de fontes mais confiáveis que os livros, e, portanto, deixo-lhe a tarefa de julgar a importância da contribuição que posso fazer à história, à filosofia e às artes por conta dos meios a que tive acesso. Meu antepassado dispunha dessas coisas todas quando aqueles idiotas enxeridos vieram matá-lo. Eu agora tenho-as mais uma vez ao meu dispor, ou ao menos hei de ter alguma parte, ainda que de maneira imperfeita. Dessa vez nada deve acontecer, e acima de tudo não em decorrência de meus temores estúpidos. Rogo ao senhor que esqueça tudo o que escrevi, e que não tenha medo desse lugar nem das pessoas que aqui se encontram. O Dr. Allen é um homem decente, e devo-lhe um pedido de desculpas por todos os males que espalhei a seu respeito. Eu não gostaria de tê-lo dispensado, porém, tinha compromissos em outro lugar. O fervor que demonstra em relação a essas coisas não é menor do que o meu, e imagino que, quando temi meu dever, também o temi na condição de meu principal ajudante".

Ward deteve-se e o Dr. Willett mal soube o que fazer ou pensar. Sentiu-se quase tolo em vista desse tranquilo repúdio em relação à carta; porém, mesmo assim ateve-se ao fato de que, embora tivesse parecido estranha, bizarra e sem dúvida insana, a mensagem tinha sido trágica por conta da naturalidade e da profunda semelhança que guardava com o Charles Ward que conhecia de outrora. Willett tentou abordar temas mais antigos para que o jovem recordasse eventos passados capazes de restaurar uma atmosfera mais familiar, entretanto, obteve apenas resultados grotescos nesse processo. O mesmo se repetiu mais tarde com todos os psiquiatras. Partes importantes da massa de imagens mentais de Charles Ward, principalmente aquelas que diziam respeito aos tempos modernos e à sua vida pessoal, haviam sido inexplicavelmente eliminadas, enquanto toda afeição pelas antiguidades acumulada na juventude brotava de um profundo subconsciente que tragava o contemporâneo e o individual. O conhecimento íntimo que o jovem evidenciava acerca de coisas antigas era anômalo e profano, e por esse motivo o paciente tentava ocultá-lo da melhor forma possível. Às vezes, quando Willett mencionava um objeto favorito dos estudos arcaicos da infância, Charles Ward revelava por acaso um conhecimento de que nenhum mortal comum poderia dispor, e, quando essas alusões surgiam, o médico sempre estremecia.

Não era saudável deter tanto conhecimento a respeito de como a peruca do rotundo xerife caiu quando se inclinou para frente durante uma encenação na Histrionick Academy do Sr. Douglass, em plena King Street, no dia 11 de fevereiro de 1762, uma quinta-feira;

nem a respeito da ocasião em que os atores fizeram tantos cortes no texto de *O Amante Consciente*, de Steele, que o fechamento do teatro pela legislatura batista da época duas semanas mais tarde foi visto quase com alegria por certas pessoas. Que o coche para Boston de Thomas Sabin era "desconfortável de sobejo" as correspondências da época talvez pudessem revelar; mas que antiquarismo saudável poderia recordar que os estalos da nova placa de Epenetus Olney (a espalhafatosa coroa adotada depois que passou a chamar a taverna de Crown Coffee House) soavam exatamente como as primeiras notas da nova canção de jazz que tocava em todas as rádios de Pawtuxet?

Ward, contudo, não se deixava questionar por muito tempo nessa veia. Os tópicos pessoais e modernos eram abandonados de maneira sumária, e os temas antigos não tardavam a aborrecê-lo. O que claramente pretendia fazer era satisfazer a curiosidade do visitante para que fosse embora sem a intenção de voltar. A fim de atingir esse objetivo, dispôs-se a mostrar a Willett a casa inteira, e, no instante seguinte, começou a acompanhar o médico por todos os cômodos do porão ao sótão. Willett examinou tudo com atenção e percebeu que os livros visíveis eram demasiado parcos e triviais para que pudessem ter preenchido as grandes lacunas deixadas nas prateleiras de Ward, e também que o suposto "laboratório" não passava de uma fachada das mais ordinárias. Sem dúvida havia uma biblioteca e um laboratório em outro lugar, mas era impossível determinar onde. Derrotado na busca por algo que nem ao menos sabia o que era, Willett voltou para a cidade antes do anoitecer e contou ao patriarca Ward tudo o que havia se passado. Os dois chegaram à conclusão de que o jovem havia definitivamente perdido o controle sobre as próprias faculdades mentais, porém, acharam que nenhuma medida drástica precisaria ser tomada de imediato. Acima de tudo, a Sra. Ward devia ser mantida na mais absoluta ignorância a respeito do ocorrido, na medida que os estranhos bilhetes datilográficos do filho permitissem.

Na ocasião, o Sr. Ward decidiu fazer uma visita pessoal ao filho, sem comunicá-lo de antemão. O Dr. Willett levou-o de carro em um certo fim de tarde, mostrou onde se situava a casa e esperou pacientemente o retorno do companheiro de viagem. A conversa foi longa, e por fim o pai saiu em um estado de profunda tristeza e perplexidade. A recepção fora similar à de Willett, com a diferença de que Charles levou um tempo deveras longo para apresentar-se depois que o visitante abriu passagem à força pelo corredor e mandou o português embora com uma ordem peremptória; e na compostura alterada do jovem não havia nenhum resquício de afeição filial. A iluminação era tênue, porém, mesmo assim Charles afirmou sentir-se ofuscado de maneira quase insuportável. Tinha falado em voz baixa, alegando que a garganta estava em condições precárias, mas no sussurro rouco havia algo vagamente perturbador que o Sr. Ward não conseguia afastar dos pensamentos.

Unidos em definitivo para fazer o quanto fosse possível a fim de resguardar a sanidade do jovem, o Sr. Ward e o Dr. Willett começaram a reunir todos os detalhes que pudessem encontrar acerca do caso. Os boatos que circulavam em Pawtuxet foram o primeiro item examinado, e a tarefa foi relativamente fácil, já que ambos tinham amigos na região. O Dr. Willett coletou o maior número de boatos, porque as pessoas dispunham-se a ser mais abertas com um médico do que com o pai da figura central – e, a dizer pelos relatos que colheu, o jovem Ward vinha levando uma vida deveras estranha. Os moradores não conseguiam dissociar a casa onde o jovem morava dos casos de vampirismo ocorridos no verão anterior, e a movimentação noturna dos caminhões dava origem a muitas outras especulações sombrias. Os comerciantes locais mencionaram a estranheza dos pedidos feitos pelo mulato de aspecto maligno e em particular as enormes quantias de carne e sangue frescos compradas dos únicos dois açougues da vizinhança. Para uma residência com apenas três pessoas, as quantidades eram absurdas.

Havia também a questão dos ruídos subterrâneos. Os relatos acerca disso eram difíceis de interpretar, mas todas as vagas insinuações concordavam nos detalhes essenciais. Surgiam ruídos de natureza ritual nas ocasiões em que a casa se encontrava às escuras. Poderiam, é claro, vir do porão conhecido; mas os rumores insistiam em afirmar que havia criptas mais extensas e mais profundas. Tendo em mente as antigas histórias sobre as catacumbas de Joseph Curwen e o pressuposto de que a casa atual tivesse sido escolhida por ocupar o mesmo terreno da antiga propriedade de Curwen, segundo informavam certos documentos encontrados atrás do retrato, o Dr. Willett e o Sr. Ward prestaram muita atenção a essa faceta dos boatos, e por inúmeras vezes procuraram, sem sucesso, a porta à margem do rio mencionada nos antigos manuscritos. Quanto à opinião popular acerca dos vários habitantes da casa, logo ficou evidente que o português de Brava era odiado, que o Dr. Allen, barbudo e sempre de óculos, era temido e que o pálido e jovem estudioso era o objeto de uma profunda repulsa. Durante os dez ou quinze últimos dias, Ward sem dúvida havia sofrido mudanças profundas; tinha abandonado qualquer tentativa de mostrar-se afável e passara a falar apenas com sussurros roucos e estranhamente repulsivos nas raras ocasiões em que saía de casa.

Aqueles eram os retalhos e fragmentos coletados aqui e acolá pelo Sr. Ward e pelo Dr. Willett; e a respeito deles tiveram várias conferências longas e graves. Os dois se esforçaram por aplicar métodos de dedução, indução e imaginação criativa da forma mais abrangente possível, e também por estabelecer relações entre todos os fatos conhecidos acerca da vida recente de Charles, incluindo a carta frenética que o médico havia mostrado ao pai e as parcas evidências documentais disponíveis que diziam respeito a Joseph Curwen. Estariam dispostos a dar muita coisa em troca de um vislumbre dos papéis que Charles encontrara, pois sem dúvida a explicação para a loucura do jovem estava naquilo que aprendera sobre as façanhas do antigo feiticeiro.

4.

Apesar de tudo, o último movimento desse caso singular não se deveu às ações do Sr. Ward ou do Dr. Willett. O pai e o médico, confusos e perplexos ante uma sombra demasiado amorfa e intangível para que pudessem combatê-la, desfrutavam de um repouso intranquilo à espera do passo seguinte enquanto os bilhetes datilográficos do jovem Ward tornavam-se cada vez menos frequentes. Quando o dia primeiro do mês trouxe os ajustes financeiros habituais, os funcionários de certos bancos começaram a balançar a cabeça e a telefonar uns para os outros. Oficiais que conheciam Charles Ward de vista foram até a casa em Pawtuxet perguntar por que todos os cheques apresentados naquela circunstância traziam falsificações grosseiras no campo da assinatura, e receberam uma resposta menos convincente do que a desejada quando o jovem explicou com voz rouca que, nos últimos tempos, os tremores nervosos vinham-lhe afetando a mão a ponto de tornar a escrita normal impossível. Segundo disse, não conseguia mais formar caracteres manuscritos a não ser com extrema dificuldade, e resolveu provar o que dizia explicando que se vira obrigado a datilografar todas as correspondências recentes, inclusive aquelas endereçadas ao pai e à mãe, que poderiam confirmar essa alegação.

A confusão que levou os investigadores a se deterem não foi a circunstância isolada, pois referente àquilo não havia nada de inédito ou de suspeito; tampouco os boatos de Pawtuxet, a respeito dos quais um que outro investigador ouvira falar. Foi a fala desconexa do jovem que os deixou atônitos, uma vez que indicava uma total perda de memória no tocante a assuntos monetários de grande importância que apenas um ou dois meses antes tinham sido tratados com a mais absoluta desenvoltura. Alguma coisa estava errada, pois, a despeito do aspecto de coerência e de racionalidade presente no discurso, não poderia haver uma razão concebível para aquela ignorância escondida a duras penas em relação a tópicos vitais. Além disso, embora nenhum dos homens fosse muito próximo a Ward, todos perceberam uma alteração no porte e na maneira de falar do jovem. Tinham ouvido a respeito da afeição ao antiquarismo, porém nem mesmo o antiquário mais empedernido faria uso diário de frases e gestos obsoletos. No geral, essa combinação de voz rouca, mãos paralisadas, lacunas de memória e alterações de fala e de comportamento devia ser o indicativo de um distúrbio ou de uma moléstia grave, o que sem dúvida formava a base dos boatos que circulavam. Depois de partir, o grupo de oficiais decidiu que a providência mais urgente seria arranjar uma entrevista com o patriarca Ward.

Assim, no dia 6 de março de 1928, houve uma longa e séria conversa no escritório do Sr., após a qual o pai, totalmente desorientado, convocou o Dr. Willett com uma espécie de desamparada resignação. Willett examinou as assinaturas forçadas e desajeitadas nos cheques e comparou-as mentalmente à caligrafia daquela última carta desesperada. Com certeza a mudança fora radical e profunda, mas havia algo detestavelmente familiar na nova caligrafia. Apresentava fortes tendências a garatujas e arcaísmos de um tipo deveras curioso, e parecia ser o resultado de traçados muito diferentes daqueles, via de regra, usados pelo jovem. Parecia estranho – mas onde teria visto aquilo antes? Dado o contexto geral, era óbvio que Charles tinha enlouquecido. Quanto a isso não restavam dúvidas. E como parecia improvável que pudesse gerenciar a propriedade ou se manter no mundo dos negócios por mais tempo, alguma providência devia ser tomada o mais depressa possível em relação a uma possível curatela. Foi nesse ponto que os psiquiatras foram chamados: os Drs. Peck e Waite de Providence e o Dr. Lyman de Boston, a quem o Sr. Ward e o Dr. Willett ofereceram um relato tão abrangente quanto possível do caso, e que por fim mantiveram uma longa conferência na biblioteca ociosa do jovem enfermo, analisando os livros e papéis deixados para trás com vistas a formar uma opinião acerca do estado mental habitual do paciente.

Depois de averiguar o material e examinar o agourento bilhete enviado a Willett, todos concordaram que os estudos de Charles Ward haviam desequilibrado ou ao menos distorcido um intelecto comum, e manifestaram o vivo desejo de perscrutar outros volumes e documentos pessoais, mas sabiam que esse passo somente poderia ser dado no próprio local da casa em Pawtuxet. Willett tornou a analisar todo o caso com uma disposição febril, e foi por volta dessa época que colheu os depoimentos dos trabalhadores que tinham acompanhado o momento em que Charles descobrira os documentos de Curwen e coligiu os incidentes dos jornais danificados após localizá-los na redação do *Journal*.

Na quinta-feira, dia 8 de março, os Drs. Willett, Peck, Lyman e Waite, acompanhados pelo Sr. Ward, partiram rumo à tão aguardada visita ao jovem; não fizeram nenhum segredo a respeito do que pretendiam e questionaram o recém-declarado paciente com extrema minúcia. Charles, embora tenha levado um tempo excessivo para atender a porta e conquanto ainda trescalasse estranhos e nocivos odores do laboratório quando enfim se apresentou, mostrou-se um anfitrião nem um pouco recalcitrante, e admitiu com a mais absoluta franqueza que a memória e o equilíbrio mental haviam sofrido um pouco com a profunda dedicação a estudos abstrusos. Não ofereceu nenhuma resistência quando insistiram em que mudasse de acomodações e, a bem da verdade, pareceu evidenciar um alto grau de inteligência além da simples memória.

A conduta presenciada teria deixado os visitantes perplexos se não fosse a persistente tendência a arcaísmos na fala, enquanto a inconfundível substituição de ideias modernas por conceitos obsoletos marcava-o em definitivo como uma pessoa fora da normalidade. Quanto às pesquisas realizadas, não poderia dizer ao grupo de médicos mais do que já havia revelado previamente à própria família e ao Dr. Willett, e o bilhete frenético do mês anterior foi desdenhado como a simples consequência de nervos agitados e histeria. Charles insistiu em dizer que a casa ensombrecida não dispunha de um laboratório nem de uma biblioteca além daqueles que se podiam enxergar, e ofereceu explicações abstrusas quando pediram que explicasse a ausência, na casa, dos odores que lhe impregnavam as roupas.

Os boatos da vizinhança foram atribuídos à inventividade barata, impulsionados por uma curiosidade frustrada. Quanto ao paradeiro do Dr. Allen, disse que não estava em posição de oferecer informações precisas, mas assegurou aos inquiridores que o homem de barba e de óculos retornaria no momento oportuno. Ao demitir e pagar o impassível português de Brava que resistiu a todo tipo de questionamento da parte dos visitantes e ao fechar a casa que ainda parecia guardar segredos obscuros, Ward não demonstrou nenhum sinal de nervosismo, salvo apenas por uma discreta tendência a deter-se e apurar o ouvido como se desejasse captar um som longínquo. Parecia estar animado por uma serena resignação filosófica, como se o afastamento fosse apenas um incidente passageiro que causaria menos transtornos se não oferecesse resistência e se livrasse daquilo o mais depressa possível.

Era evidente que confiava na agudeza intocada da própria mentalidade absoluta para vencer todos os constrangimentos em que a memória deturpada, a perda da voz e da caligrafia e o comportamento furtivo e excêntrico haviam culminado. Foi combinado que a mãe não seria informada a respeito dessa mudança, e que o pai haveria de enviar bilhetes datilográficos em nome do filho. Ward foi levado ao tranquilo e pitoresco hospital particular mantido pelo Dr. Waite em Conanicut Island, na baía, onde foi examinado e questionado minuciosamente por todos os médicos relacionados ao caso. Nesse ponto as anomalias físicas foram percebidas; o metabolismo desacelerado, a pele alterada e as reações neurais desproporcionais. O Dr. Willett era o mais perturbado dentre todos os examinadores, pois tinha acompanhado Ward ao longo de toda a vida e, portanto, era quem melhor podia dimensionar a gravidade e a extensão da decadência física. Até mesmo a familiar marca de nascença no quadril havia desaparecido, enquanto no peito havia surgido um sinal ou uma cicatriz de cor preta que nunca havia estado lá e que levou Willett a indagar se o jovem teria participado dos rituais de "marcação das bruxas" que supostamente ocorrem durante certos encontros noturnos insalubres em lugares ermos e selvagens. O médico não conseguia tirar da cabeça a transcrição do julgamento de uma bruxa em Salém que Charles lhe havia mostrado antes de adotar o comportamento furtivo, que dizia: "O senhor G.B. naquela noite pôs a Marca do Diabo em Bridget S., Jonathan A., Simon O., Deliverance W. Joseph C., Susan P., Mehitable C. e Deborah B." O rosto de Ward também o horrorizava, e por fim descobriu de repente a causa de tamanho horror. Acima do olho direito do jovem, notou um detalhe que nunca havia percebido antes – uma pequena cicatriz ou depressão exatamente idêntica à presente na pintura decrépita do velho Joseph Curwen, que talvez indicasse uma inoculação ritualística medonha à qual ambos tivessem se submetido a certa altura da carreira ocultista.

Enquanto Ward intrigava os médicos do hospital, todas as correspondências endereçadas ao paciente ou ao Dr. Allen passaram a ser mantidas sob a mais estrita vigilância e entregues na mansão da família Ward. Willett imaginou que o método traria poucos resultados, uma vez que as comunicações de natureza vital provavelmente seriam trocadas por meio de mensageiros; mas, no fim de março, uma carta que chegou de Praga para o Dr. Allen deixou tanto o médico quanto o pai um tanto pensativos. Veio escrita com garatujas arcaicas ao extremo e, embora não tivesse saído da pena de um estrangeiro, apresentava desvios quase tão singulares em relação à linguagem moderna quanto a maneira de falar do jovem Ward. Ei-la:

Kleinstrasse, 11 Altstadt, Praga, 11 de fevereiro de 1928

IRMÃO EM ALMOUSIN-METRATON – Recebi hoje seu relato do que saiu dos sais que enviei a você. Estava errado e significa claramente que as pedras tumulares haviam sido mudadas quando Barnabus me mandou o espécime. Isso acontece com frequência, como deve ter percebido pela coisa que recebeu do cemitério de Kings Chapell em 1769 e por aquela que recebeu do Cemitério Velho em 1690, que poderia acabar com ele. Obtive coisa semelhante no Egito, 75 anos atrás, de onde apareceu aquela cicatriz que o menino viu em mim em 1924. Como disse a você há muito tempo, não evoque aquilo que não puder mandar de volta quer pelos sais mortos quer pelas esferas do além. Tenha sempre prontas as palavras para mandar de volta todas as vezes e não espere para ter certeza quando tiver alguma dúvida de Quem você tem. As lápides estão todas mudadas agora em nove túmulos de cada dez. Nunca terá certeza enquanto não perguntar. Hoje recebi notícias de H., que teve problemas com os soldados. É provável que ele lamente o fato de a Transilvânia ter passado da Hungria para a Romênia e mudaria sua sede se o castelo não estivesse tão cheio daquilo que nós sabemos. Mas sem dúvida ele lhe escreveu a esse respeito. Na minha segunda remessa, haverá algo de um túmulo da colina do leste que muito lhe agradará. Enquanto isso, não esqueça que desejo B.F. se você puder chamá-lo para mim. Você conhece G. em Filadélfia melhor do que eu. Chame-o você em primeiro lugar se quiser, mas não o use demais; ele será difícil, terei de falar com ele no fim.

Yogg-Sothoth Neblod Zin SIMON O.
Para o senhor J.C. em Providence

O Sr. Ward e Dr. Willett detiveram-se em estado de absoluto caos perante a evidente prova de insanidade consumada. Apenas aos poucos lograram compreender o que parecia insinuar. Seria o ausente Dr. Allen, e não Charles Ward, o espírito dominante em Pawtuxet? Isso explicaria as referências desvairadas e a denúncia na última carta frenética do jovem. E o que dizer a respeito do destinatário, identificado pelo forasteiro de barba e de óculos escuros como "Sr. J.C."? Não havia como escapar à inferência, mas existem limites para as monstruosidades concebíveis. E quem seria "Simon O."? O velho que Ward tinha visitado em Praga quatro anos antes? Talvez, mas nos séculos passados havia existido um outro Simon O. – Simon Orne, também conhecido como Jedediah, de Salém, que desapareceu em 1771 e cuja caligrafia um tanto peculiar o Sr. Willett naquele instante reconheceu graças às cópias fotostáticas das fórmulas de Orne que Charles certa vez lhe havia mostrado. Que horrores e mistérios, que contradições e contravenções da Natureza teriam retornado depois de um século e meio para assolar a velha Providence, repleta de cúpulas e coruchéus?

O pai e o velho médico, sem saber o que fazer ou o que pensar, foram visitar Charles no hospital para questioná-lo com o maior tato possível a respeito do Dr. Allen, da viagem a Praga e das coisas que havia aprendido com Simon ou Jedediah Orne de Salém. O jovem ofereceu respostas polidas, mas evasivas a todos os questionamentos, restringindo-se a dizer, em um rouco sussurro, que havia encontrado o Dr. Allen a fim de estabelecer uma comunicação espiritual com almas do passado e que qualquer contato que o homem barbudo tivesse em Praga muito provavelmente teria dons similares. Quando foram embora, o Sr. Ward e o Dr. Willett notaram com pesar que tinham sido vítimas de uma sabatina, pois, sem oferecer nenhum tipo de informação vital, o jovem se valera de uma lábia impressionante para fazer com que relatassem todo o conteúdo da carta de Praga.

Os Drs. Peck, Waite e Lyman não estavam dispostos a atribuir muita importância à estranha correspondência do companheiro de Charles Ward, pois conheciam a tendência dos excêntricos e dos monomaníacos a buscar espíritos irmãos e acreditavam que Charles e Orne não tinham feito nada além de encontrar uma contraparte no estrangeiro – uma contraparte que talvez tivesse visto a caligrafia de Orne e decidido copiá-la em uma tentativa de passar-se por uma reencarnação do falecido personagem.

O próprio caso de Allen não era muito diferente, pois talvez se houvesse apresentado ao jovem como um avatar do finado Curwen. Casos semelhantes haviam ocorrido no passado, e, baseados no conhecimento, os intransigentes médicos descartaram as crescentes preocupações de Willett com a mudança da caligrafia de Charles Ward em relação aos espécimes não premeditados obtidos graças às mais diversas manobras. No fim, Willett imaginou ter identificado a origem da estranha familiaridade, e estabeleceu que se assemelhava à caligrafia outrora empregada pelo velho Joseph Curwen; porém, os outros médicos afirmaram que uma fase imitativa era parte integrante da mania que afligia o paciente, e assim se recusaram a atribuir qualquer importância favorável ou desfavorável ao assunto. Ao perceber a atitude prosaica dos colegas, o Dr. Willett aconselhou o Sr. Ward a não comentar nada a respeito da carta que chegou no dia 2 de abril, enviada ao Dr. Allen desde Rakus, na Transilvânia, e escrita em uma caligrafia que guardava semelhanças tão intensas e fundamentais com a cifra de Hutchinson que tanto o pai quanto o médico viram-se paralisados de espanto por um instante antes de violar o lacre. O conteúdo da carta era o seguinte:

Castelo Ferenczy
7 de março de 1928.

CARO C. – Um esquadrão de vinte milicianos apareceu por conta dos boatos do povo. Preciso cavar mais fundo e manter menos gado. Esses romenos incomodam horrivelmente, são

intrometidos e detalhistas, enquanto era possível comprar um magiar com bebida e comida. No mês passado, M. me mandou o sarcófago das cinco esfinges da Acrópole onde aquele que eu evoquei me disse que estaria, e tive três conversas com aquilo que estava inumado em seu interior. Irá diretamente para S. O. em Praga e de lá para o senhor. É obstinado, mas o senhor sabe como agir. O senhor mostrou sabedoria em ter menos do que antes, pois não havia necessidade de manter os guardas em forma e comendo tanto, e muito poderia ser encontrado em caso de problemas, como os senhores bem sabem.
Agora o senhor pode se mudar e trabalhar em outro lugar sem o inconveniente de matar, se necessário, embora espere que nada o obrigue tão cedo a uma medida tão incômoda. Alegro-me em saber que não está traficando muito com os de fora, pois nisso sempre houve um perigo mortal e o senhor sabe o que ele fez quando pediu proteção de alguém que não estava disposto a dá-la. O senhor me supera em conseguir as fórmulas para que um outro o possa dizê-las com sucesso, mas *Borellus* imaginou que seria assim, bastando ter as palavras certas. O rapaz as usa frequentemente? Sinto que ele esteja se tornando excessivamente melindroso, como eu temia quando esteve aqui cerca de quinze meses atrás, mas percebo que o senhor sabe como lidar com ele. O senhor não pode fazê-lo voltar com as fórmulas, pois aquilo só funciona com aqueles que as fórmulas chamam dos sais, mas o senhor ainda tem mãos fortes, faca, pistola e túmulos não são difíceis de cavar, nem os ácidos difíceis de queimar. O. diz que o senhor lhe prometeu B.F. Eu preciso tê-lo depois. B. irá para o senhor logo e poderá lhe dar o que o senhor deseja daquela coisa negra debaixo de Memphis. Tenha cuidado com aquilo que evocar e cuidado com o menino. Daqui a um ano será o momento de convocar as legiões das profundas e então não haverá limites ao nosso poder. Confie no que eu digo, pois o senhor sabe que O. e eu tivemos esses 150 anos mais que o senhor para estudar tais assuntos.

Nephreu – Ka nai Hadoth Edw:H.
Para o Cavalheiro J. Curwen, Providence

Mas, embora Willett e o Sr. Ward não tenham mostrado a carta aos psiquiatras, não demoraram a tomar as devidas providências. Não haveria sofisma ou erudição capaz de contradizer o fato de que o estranho Dr. Allen, de barba e de óculos, descrito na carta frenética de Charles como uma ameaça monstruosa, mantinha uma correspondência íntima e sinistra com duas criaturas inexplicáveis que Ward visitara durante as viagens e que sem dúvida afirmavam ser avatares dos antigos colegas de Curwen em Salém; de que se via como a reencarnação do próprio Joseph Curwen, e de que tinha – ou ao menos fora instado a ter – desígnios assassinos contra um "garoto" que dificilmente poderia ser outro que não Charles Ward. Havia um horror organizado à espreita e, independentemente de quem o houvesse começado, nesse ponto tornou-se evidente que o desaparecido Allen estava por trás de tudo. Foi assim que, aliviado ao saber que Charles estava a salvo no hospital, o Sr. Ward de imediato contratou detetives para que descobrissem o quanto fosse possível a respeito do críptico médico barbudo – de onde viera e o que os habitantes de Pawtuxet sabiam a seu respeito, e, se possível, o paradeiro de então. Depois de entregar aos investigadores uma das chaves da casa em Pawtuxet que Charles lhe havia confiado, o patriarca Ward pediu que examinassem os aposentos vazios de Allen, identificados durante o transporte dos artigos pertencentes ao jovem paciente, a fim de averiguar a existência de pistas entre os artigos pessoais que pudesse ter deixado para trás. O Sr. Ward conversou com os detetives na antiga biblioteca do filho, e todos sentiram uma profunda sensação de alívio ao deixarem o cômodo, que parecia envolto em uma vaga aura de malignidade. Talvez já tivessem ouvido boatos a respeito do infame feiticeiro cujo retrato outrora havia fitado de um painel acima da cornija da lareira, e talvez fosse outro detalhe irrelevante qualquer; mas o fato é que todos pressentiram o miasma intangível que se concentrava nos resquícios entalhados daquela habitação de outrora e que por vezes quase ganhava a intensidade de uma emanação material.

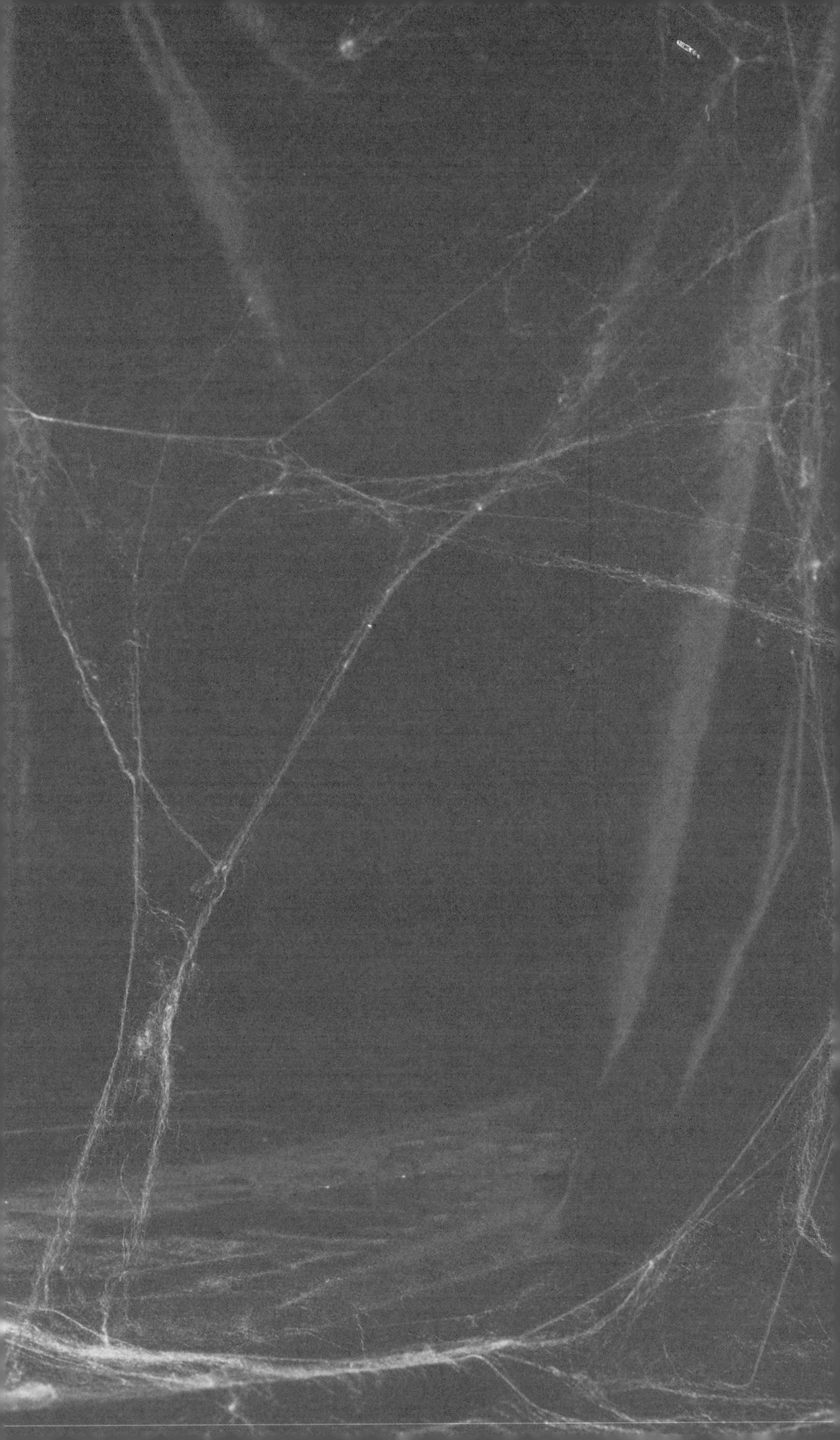

5
Um pesadelo e um cataclismo

1.

Logo a seguir, precipitaram-se os medonhos eventos que deixaram a indelével marca do medo na alma de Marinus Bicknell Willett, e acrescentaram uma década à idade aparente de um homem cuja juventude já se encontrava longe. O Dr. Willett teve um longo colóquio com o Sr. Ward, e chegou a um acordo relativo a vários aspectos que, na opinião de ambos, seriam ridicularizados pelos psiquiatras. Em primeiro lugar, reconheceram a existência de um terrível movimento em ação no mundo, cuja relação direta com uma necromancia ainda mais antiga do que a bruxaria de Salém estava além de qualquer dúvida. Que pelo menos dois homens – e também um terceiro em quem não se atreviam a pensar – tinham a posse absoluta de intelectos ou de personalidades que haviam existido desde 1690 ou antes era um fato para o qual havia provas incontestáveis mesmo em vista de todas as leis naturais conhecidas. O que essas criaturas horrendas – e também Charles Ward – estavam fazendo ou tentando fazer parecia claro o bastante em vista das correspondências e de outras descobertas antigas e recentes que haviam esclarecido diversos aspectos do caso. Estavam roubando túmulos de todas as épocas, entre os quais se encontravam o lugar de repouso dos maiores e mais sábios homens que a humanidade já conheceu, na esperança de recuperar, das cinzas de outrora, os vestígios da consciência e da sabedoria responsáveis por animá-los e informá-los em vida.

Um tráfico horrendo estava sendo conduzido por aqueles ladrões de túmulos saídos de um pesadelo, que promoviam o escambo de ossos ilustres com a tranquilidade de estudantes que estivessem a trocar livros; e com aquilo que conseguiam extrair do pó secular esperavam obter sabedoria e poderes além de tudo o que o cosmo já viu se concentrar em um único homem ou grupo de homens. Encontraram maneiras profanas de manter os cérebros vivos, fosse no mesmo corpo ou em corpos distintos; e sem dúvida encontraram uma forma de acessar a consciência dos mortos com que se congregavam. Havia indícios de que o velho e quimérico *Borellus* tivesse revelado certas verdades ao escrever sobre o método de preparação dos "sais essenciais" que poderiam ser extraídos dos mais antigos restos mortais a fim de conjurar a sombra de coisas mortas muito tempo antes. Havia uma forma para invocar essas sombras, e outra para esconjurá-las; e, naquele momento, ambas tinham sido aperfeiçoadas e podiam ser ensinadas com sucesso. Era necessário tomar cuidado com essas invocações, pois as demarcações nos túmulos antigos nem sempre estão corretas.

Willett e o Sr. Ward estremeceram ao passar de uma conclusão à outra. Coisas – presenças ou vozes de natureza desconhecida – podiam ser conjuradas de lugares ignotos e também do túmulo, mas era preciso tomar muito cuidado na execução do processo. Joseph Curwen indubitavelmente tinha conjurado inúmeras coisas proscritas, e, quanto a Charles, o que se poderia pensar do rapaz? Que forças de "fora das esferas" poderiam tê-lo alcançado desde a época de Joseph Curwen para voltar seus pensamentos em direção a coisas esquecidas? Fora levado a encontrar certas instruções, e então a usá-las. Tinha falado com aquele terrível homem em Praga e permanecido um longo período com a criatura nas montanhas da Transilvânia. E, por fim, devia ter encontrado o túmulo de Joseph Curwen. A nota do jornal e aquilo que a Sra. Ward ouvira à noite eram detalhes importantes demais para que não fossem percebidos. Depois, havia invocado alguma coisa, que devia ter atendido ao chamado. A poderosa voz que veio das alturas na Sexta-Feira Santa e os diferentes tons vindos do laboratório trancado no sótão... com o que se pareciam em função da natureza profunda e sepulcral? Não havia nesse ponto um espantoso prenúncio do temível e desconhecido Dr. Allen com a voz grave e espectral? Ah, eis o que o Sr. Ward sentira com um vago horror durante a única conversa que teve com esse homem – se de fato fosse um homem!

Que consciência ou voz infernal, que sombra ou presença mórbida respondera aos ritos secretos conduzidos a portas fechadas por Charles Ward? As vozes ouvidas na contenda – "Preciso que fique vermelho durante três meses" – por Deus! Não tinha acontecido logo antes dos surtos de vampirismo? A profanação do antigo túmulo de Ezra Weeden e mais tarde os gritos em Pawtuxet – que mente haveria planejado a vingança e redescoberto a medonha origem de blasfêmias ancestrais? Depois vieram a casa em Pawtuxet e o forasteiro barbudo, os boatos e o medo. Nem o pai nem o médico tentaram oferecer explicações para a derradeira loucura de Charles, mas ambos tinham certeza de que a mente de Joseph Curwen estava de volta à Terra para dar prosseguimento à morbidez de outrora. Seria a possessão demoníaca uma possibilidade real? Allen estava de alguma forma implicado nos acontecimentos, e os detetives precisariam obter mais informações a respeito de um homem cuja existência ameaçava a vida do jovem Ward. Nesse meio-tempo, uma vez que a existência de uma vasta cripta sob a casa em Pawtuxet parecia estar além de qualquer dúvida, esforços seriam envidados para localizá-la. Willett e o Sr. Ward, conscientes da atitude cética dos psiquiatras, resolveram, em uma última conferência, proceder a uma exploração sigilosa de inigualável minúcia; e assim combinaram de encontrar-se na casa pela manhã seguinte munidos de valises e de certas ferramentas necessárias às buscas arquitetônicas e à exploração subterrânea.

O dia 6 de abril raiou com uma manhã clara, e às dez horas os dois exploradores estavam em frente à casa. O Sr. Ward tinha a chave, e logo a entrada e uma busca superficial foram levadas a cabo. A julgar pela desordem do quarto, antes ocupado pelo Dr. Allen, parecia óbvio que os detetives já haviam estado lá, e os exploradores tardios acalentaram a esperança de que pudessem encontrar uma pista que se mostrasse útil. Era evidente que a parte mais importante do trabalho a ser feito encontrava-se no porão, e assim os dois exploradores desceram sem mais delongas, refazendo o circuito que já haviam feito em vão na presença do jovem proprietário louco. Por alguns instantes, tudo os deixou atônitos, pois cada centímetro do chão de terra batida e das paredes de pedra revestia-se de um aspecto tão sólido e tão inócuo que mal era possível cogitar a ideia de uma abertura. Willett refletiu que, como o porão original fora escavado sem que se soubesse da existência de uma catacumba debaixo dele, o início da passagem seria justamente a escavação recente do jovem Ward e seus sócios, à procura do antigo subterrâneo cuja existência lhes poderia ter sido revelada por meios insalubres.

O médico tentou colocar-se no lugar de Charles para entender como um explorador poderia começar, mas o método não lhe trouxe muita inspiração. Então, decidiu adotar a política da eliminação, e percorreu cuidadosamente toda a superfície do porão subterrâneo no sentido vertical e horizontal, tentando averiguar cada centímetro separadamente. Logo havia reduzido os pontos suspeitos de maneira considerável, e por fim só restava a pequena plataforma em frente às tinas d'água, que já tinha examinado anteriormente em vão. Experimentando de todas as maneiras possíveis e exercendo força redobrada, descobriu enfim que a parte superior de fato era capaz de girar e de deslizar no plano horizontal graças a um ponto fixo na extremidade da superfície. Logo abaixo havia uma superfície de concreto com um bueiro de ferro, em direção ao qual o Sr. Ward correu tomado de entusiasmo. A tampa não ofereceu resistência, e o homem havia quase terminado de removê-la quando percebeu a estranheza daquele objeto. O Sr. Ward pôs-se a cambalear e começou a sentir vertigens, e a rajada de ar viciado que soprou do abismo negro foi logo identificada pelo médico como causa suficiente para esses sintomas.

No instante seguinte, o Dr. Willett deitou o companheiro desmaiado no chão da peça e reavivou-o com água fria. O Sr. Ward não fez mais do que esboçar uma reação, mas pôde-se notar que a rajada mefítica da cripta subterrânea havia causado uma moléstia grave. Relutante em dar qualquer chance ao azar, Willett apressou-se até a Broad Street à procura de um coche e logo despachou o doente para casa, apesar dos débeis protestos a meia voz; e então sacou do bolso uma lanterna, cobriu o nariz com uma tira de gaze estéril e desceu mais uma vez a fim de perscrutar as profundezas recém-descobertas. A intensidade do ar pestilento diminuiu, e Willett conseguiu divisar um facho de luz que descia por aquele buraco rumo ao rio Estige. Por cerca de três metros era uma passagem cilíndrica vertical com paredes de concreto e uma escada de ferro e, a partir de então, o buraco parecia levar a uma antiga escadaria de pedra que outrora devia ter chegado até a superfície do solo em algum ponto a sudoeste da construção atual.

2.

Willett admite que, por um instante, a memória das lendas a respeito do velho Curwen impediu-o de galgar sozinho a escada que descia rumo ao abismo fétido. Não conseguia tirar da cabeça o comentário que Luke Fenner havia feito na derradeira e monstruosa noite. No entanto, o dever se impunha, e assim o médico empreendeu a descida com uma grande valise para o eventual transporte de quaisquer documentos de suprema importância que viesse a encontrar. Aos poucos, como seria conveniente a um homem de idade já avançada, desceu a escada e chegou aos degraus viscosos lá embaixo. A lanterna revelou uma construção de cantaria ancestral e, nas paredes úmidas, o Dr. Willett avistou uma grande quantidade de musgo secular e insalubre. Os degraus desciam cada vez mais fundo; não em espiral, mas em três curvas fechadas e em passagens tão estreitas que dois homens teriam dificuldade para caminhar lado a lado. Willett havia contado cerca de trinta quando percebeu um som abafado, e depois não se dispôs mais a contá-los.

Era um som ímpio; um ultraje insidioso e sepulcral da Natureza que não devia sequer existir. Descrevê-lo como um grito indistinto, como um resmungo arrastado ou como o uivo desesperado de uma carne irracional aflita e atormentada seria ignorar a quintessência monstruosa e os repugnantes harmônicos do todo. Seria aquilo o que Ward tentava escutar no dia em que foi levado para o hospital do Dr. Waite? Era a coisa mais horrenda que Willett havia escutado ao longo de uma vida inteira, e continuou a emanar de um ponto desconhecido quando o médico chegou ao último degrau e projetou o facho da lanterna em direção às elevadas paredes dos corredores colmados por abóbadas ciclópicas e varados por incontáveis arcos negros. O corredor em que se encontrava media talvez quatro metros no ponto central da abóbada e três ou quatro metros de largura. O pavimento era composto por lajes grandes e lascadas, e as paredes e o teto eram de cantaria regular. Não era possível imaginar a extensão da galeria, pois estendia-se indefinidamente adiante rumo à escuridão. Quanto aos arcos, certos espécimes tinham portas de seis painéis, ao estilo colonial, enquanto outros não tinham nada para fechá-los.

    Depois de vencer o terror infundido pelo cheiro e pelo uivo, Willett começou a explorar os arcos um a um; e mais além descobriu aposentos com abóbadas de aresta, todos de tamanho mediano e aparentemente usados para fins um tanto bizarros. A maioria tinha uma lareira, e a parte superior das chaminés teria dado um interessante estudo na ciência da engenharia. Nunca tinha visto e jamais tornaria a ver instrumentos ou sugestões de instrumentos como os que assomavam por todos os lados em meio à poeira e às teias de aranha de um século e meio, que em muitos casos encontravam-se destruídas como que por antigos saqueadores. Muitos dos cômodos pareciam não ter sido visitados em tempos recentes e deviam representar as primeiras e mais ultrapassadas fases das experiências de Joseph Curwen. Por fim apareceu um quarto evidentemente moderno, ou que pelo menos fora ocupado em período recente. Havia fogareiros, prateleiras e mesas, cadeiras e gabinetes, e uma escrivaninha com enormes pilhas de papéis de variados graus de antiguidade e contemporâneos. Castiçais e lampiões espalhavam-se por vários lugares e, encontrando à mão uma caixa de fósforos, Willett acendeu todos os que estavam prontos para o uso.

Com a iluminação mais intensa, teve a impressão de que o apartamento não seria outra coisa senão o último gabinete ou a última biblioteca de Charles Ward. Quanto aos livros, o Dr. Willett tinha visto muitos em ocasiões anteriores, e parecia evidente que boa parte da mobília tinha vindo da mansão na Prospect Street. Espalhadas aqui e acolá encontravam-se outras peças conhecidas por Willett, e a sensação de familiaridade tornou-se tão intensa que, por alguns instantes, o explorador chegou a esquecer a náusea e os uivos, naquele ponto ainda mais audíveis do que junto ao pé da escada. O primeiro dever, como já havia planejado, seria encontrar e resgatar papéis que pudessem ter importância vital – e em particular os documentos aziagos que Charles tinha encontrado havia muito tempo no recôndito atrás do retrato em Olney Court. À medida que procurava, notou a grandiosidade que envolvia a investigação final, pois eram tantos os arquivos atulhados de papéis escritos em caligrafias variadas e ornados por estranhos desenhos que meses ou até mesmo anos poderiam ser necessários para uma decifração e uma edição de caráter abrangente. Em certo ponto, encontrou grandes pilhas de cartas franqueadas em Praga e em Rakus, escritas na caligrafia de Orne e de Hutchinson; e levou-as todas como parte do fardo a ser transportado na valise.

Por fim, em um gabinete de mogno trancado à chave que costumava agraciar a mansão dos Ward, Willett encontrou o conjunto dos antigos papéis de Curwen, tendo-os reconhecido em função do vislumbre relutante que Charles lhe havia permitido muito tempo antes. O jovem sem dúvida os havia mantido na mesma disposição em que se encontravam quando os descobrira, uma vez que todos os títulos mencionados pelos trabalhadores se encontravam lá, à exceção dos papéis endereçados a Orne e a Hutchinson e da cifra com a chave. Willett colocou o monte de papéis na valise e deu prosseguimento ao exame dos arquivos. Como a condição imediata do jovem Ward era o assunto mais importante naquele momento, as buscas mais aprofundadas ocorreram na porção mais recente do material; e em meio a essa abundância de manuscritos contemporâneos uma excentricidade exasperante foi percebida. A excentricidade consistia na pequena parcela de material escrito na caligrafia ordinária de Charles, que a bem dizer não incluía nenhum documento escrito menos de dois meses antes. Por outro lado, havia resmas e mais resmas de símbolos e fórmulas, apontamentos históricos e comentários filosóficos feitos com garatujas absolutamente idênticas à caligrafia ancestral de Joseph Curwen, embora sem dúvida fossem documentos contemporâneos. Estava claro que parte do programa mais recente havia incluído uma imitação minuciosa da caligrafia do velho feiticeiro, que Charles parecia ter conseguido reproduzir com um impressionante grau de perfeição. Quanto a uma terceira caligrafia que pudesse ser identificada como a de Allen não havia o menor sinal. Se de fato tivesse sido o líder, devia ter obrigado o jovem Ward a atuar como estenógrafo.

Em meio ao novo material, uma fórmula mística, ou melhor, duas fórmulas, reapareciam com tanta frequência que Willett a decorara antes mesmo que a busca tivesse chegado ao fim. Consistia em duas colunas paralelas – a da esquerda colmada pelo símbolo arcaico conhecido como "Cabeça do Dragão", usado em almanaques para indicar um nó ascendente, e a da esquerda encimada pelo signo complementar da "Cauda do Dragão", que assinalava o nó descendente. A aparência do todo era mais ou menos essa, e de maneira quase inconsciente o médico percebeu que a segunda metade não era nada mais do que uma repetição da primeira, com as sílabas escritas ao contrário, à exceção dos monossílabos finais e do estranho nome Yog-Sothoth, que tinha se acostumado a reconhecer sob as mais variadas grafias por conta de outras coisas vistas em função desse terrível assunto. As fórmulas eram, como se pode ver a seguir, e exatamente assim, segundo Willett pôde confirmar em mais de uma ocasião, e a primeira fez soar uma perturbadora nota de memória latente no cérebro do médico, conforme admitiu mais tarde ao reexaminar os acontecimentos daquela terrível Sexta-Feira Santa do ano anterior.

Y'AI 'NG'NGAH,
YOG-SOTHOTH H'EE – L'GEB F'AI
THRODOG UAAAH
OGTHROD AI'F
GEB'L – EE'H YOG-SOTHOTH 'NGAH'NG
AI'Y ZHRO

    Tão assombrosas eram as fórmulas, e com tanta frequência surgiam nos documentos, que sem nem ao menos perceber o Dr. Willett começou a repeti-las sozinho a meia voz. No fim, porém, sentiu que se havia apossado de todos os papéis dos quais por ora conseguiria obter alguma vantagem, e assim resolveu parar de examiná-los até que pudesse convencer todos os psiquiatras céticos a conduzir uma busca mais ampla e mais sistemática. Ainda teria de encontrar o laboratório oculto, e assim, deixando a valise no aposento iluminado, retornou ao negro e nauseante corredor cuja abóbada ecoava sem parar o indistinto e horrendo resmungo.
    Os outros cômodos que explorou se encontravam todos abandonados, ou repletos de caixas decrépitas e aziagos caixões de chumbo, porém, ainda assim o impressionaram com a magnitude das operações conduzidas por Joseph Curwen. Pensou nos escravos e marinheiros que haviam desaparecido, nos túmulos profanados ao redor do mundo e na visão com que o último grupo encarregado da invasão devia ter se deparado; e então decidiu que era melhor não pensar mais. Outrora uma grande escadaria de pedra havia se erguido à direita, e Willett deduziu que devia ter chegado até uma das construções externas no pátio de Curwen – talvez o famoso edifício de pedra com frestas elevadas à guisa de janelas – caso os degraus por onde havia descido tivessem origem na casa com o telhado de duas águas. De repente, as paredes deram a impressão de ter desabado mais à frente, e o fedor e os uivos tornaram-se mais intensos. Willett percebeu que tinha chegado a um vasto espaço aberto, tão amplo que o facho da lanterna não chegava à outra extremidade e, à medida que avançava, encontrou as robustas pilastras que sustentavam os arcos da abóbada.

Depois de algum tempo, chegou a um círculo de pilares agrupados como os monólitos de Stonehenge e um imenso altar esculpido sobre uma base de três degraus no centro, e tão curiosas eram as esculturas daquele altar que ele se aproximou para examiná-las com a lanterna, mas, ao ver o que representavam, recuou estremecendo e não parou para investigar as marcas escuras que borravam a superfície superior e haviam se espalhado pelas laterais em linhas finas. A seguir, aproximou-se da parede mais distante e traçou-a da maneira como se estendia em um gigantesco círculo perfurado por eventuais portas negras e marcado por uma miríade de celas rasas guarnecidas com grades de ferro e grilhões para tornozelos e punhos que se prendiam à cantaria logo atrás. As celas encontravam-se vazias, porém, mesmo assim o terrível odor e os gemidos desolados continuaram, mais insistentes do que nunca, e às vezes interrompidos por uma espécie de baque viscoso.

3.

O pavoroso cheiro e o assombroso barulho não puderam mais ser ignorados pelo Dr. Willett. Ambos eram mais intensos e mais terríveis no grande salão com pilastras do que em qualquer outro lugar, e davam a vaga impressão de uma profundidade extrema, mesmo naquele mundo negro de mistério subterrâneo. Antes de se aventurar pelos degraus além dos arcos negros que continuavam a descer, o médico apontou o facho de luz para as pedras no chão, pavimentadas de maneira um tanto solta, e percebeu que a intervalos irregulares havia lajes curiosamente transfixadas por minúsculos furos sem nenhuma disposição particular, ao passo que, em determinado ponto, havia uma longa escada atirada de qualquer jeito. Dessa escada, por mais estranho que fosse, parecia emanar boa parte do horrendo fedor que a tudo envolvia. Enquanto caminhava lentamente naquela direção, Willett percebeu que tanto o barulho quanto o odor pareciam mais fortes acima das estranhas lajes perfuradas, como se fossem alçapões rústicos que talvez conduzissem a regiões de horror ainda mais profundas. Ajoelhado junto a uma dessas lajes,

Willett descobriu que poderia manuseá-la, embora com extrema dificuldade. A um mero toque, os gemidos que vinham de baixo deram a impressão de se tornar mais intensos, e foi apenas com grande trepidação que conseguiu perseverar na tentativa de erguer a pesada laje. No mesmo instante, um fedor inefável ergueu-se das profundezas, e o médico sentiu vertigens enquanto largava a laje e apontava a lanterna para aquele espaço quadrado de negrume escancarado.

Se esperava um lance de escada conduzindo a algum imenso abismo de abominação total, Willett estava destinado a se desapontar, pois, entre o fedor e os gemidos entrecortados, enxergou apenas o topo revestido de tijolos de um poço cilíndrico de aproximadamente um metro e meio de diâmetro, sem qualquer escada ou outros meios para a descida. Enquanto a luz iluminava a parte inferior, de súbito os gemidos se tornaram uma série de uivos horríveis, acompanhados novamente daquele ruído de movimentos desordenados e inúteis e surdos baques e escorregões. O explorador estremeceu, avesso a sequer imaginar que coisa insalubre poderia estar à espreita naquele abismo, mas, passado um instante, reuniu a coragem necessária para espiar além da rústica mureta, deitando-se no chão e segurando a lanterna dentro do buraco com o braço estendido para ver o que poderia estar oculto lá embaixo. Por um segundo, não conseguiu distinguir nada além das viscosas paredes de tijolo cobertas de musgo que se estendiam infinitamente rumo ao miasma quase tangível de trevas e fedores e frenesi desesperado; e então percebeu que um vulto escuro saltava com gestos canhestros e frenéticos de um lado para o outro no fundo do estreito túnel, que devia localizar-se a cerca de seis ou sete metros abaixo do chão de pedra onde se encontrava. A lanterna tremeu em sua mão, mas o explorador tornou a olhar para ver que espécie de criatura poderia estar confinada na escuridão daquele poço sobrenatural, faminta e abandonada pelo jovem Ward durante todo o longo mês que se havia passado desde a internação, embora fosse apenas um espécime do vasto número aprisionado nos poços similares cujas tampas de cantaria perfurada espalhavam-se pelo enorme chão da grande caverna abobadada. O que quer que fossem aquelas coisas, não conseguiam se deitar no espaço exíguo, e deviam ter se postado de cócoras e ganido e esperado e saltado em vão durante todas aquelas horrendas semanas passadas desde que o dono as havia consignado ao esquecimento.

Porém, Marinus Bicknell Willett lamentou-se por ter olhado mais uma vez, pois embora fosse um veterano da mesa de dissecação, nunca mais foi o mesmo desde aquele momento. Seria difícil explicar como uma única visão de um objeto tangível com dimensões mensuráveis poderia abalar e transformar um homem daquela forma; podemos dizer apenas que certas entidades e silhuetas revestem-se de um poder sugestivo e simbólico que age de maneira terrível sobre a perspectiva de um pensador sensível e sussurra insinuações horrendas a respeito de relações cósmicas e realidades inomináveis por trás das ilusões protetoras de nossa visão corriqueira. Naquele segundo, Willett viu a silhueta de uma dessas entidades, pois durante os instantes a seguir estava tão louco quanto os pacientes do hospital particular do Dr. Waite. Deixou a lanterna cair da mão, que havia sido privada de força muscular e de coordenação nervosa, sem nem ao menos ouvir o som dos dentes que rangeram anunciando o destino do artefato no fundo do poço.

Então gritou e gritou e gritou com uma voz cujo pânico em falsete não poderia ser identificado por nenhum amigo ou conhecido e, embora não conseguisse postar-se de pé, arrastou-se e rolou em desespero pelo pavimento úmido por onde dezenas de poços tartáreos davam vazão a resmungos e latidos exaustos em resposta a esses gritos insanos. Cortou as mãos nas pedras ásperas e soltas, e por muitas vezes bateu a cabeça nas pilastras, mas conseguiu prosseguir mesmo assim. Por fim, voltou a si na mais absoluta escuridão em meio ao fedor insuportável e tapou os ouvidos para não ouvir o uivo insistente a que a explosão de latidos havia se reduzido. Estava encharcado de suor e privado dos meios necessários para obter luz. Apavorado e aflito em meio à escuridão e ao horror abismal, e oprimido por uma lembrança que jamais poderia obliterar. Mais abaixo, inúmeras daquelas coisas seguiam vivas, e a tampa de um duto fora removida. Willett sabia que a coisa vislumbrada jamais poderia escalar as paredes viscosas, porém, mesmo assim estremeceu ao pensar que talvez existissem apoios ocultos pela escuridão.

O que era essa coisa o médico jamais viria a dizer. Assemelhava-se a certos entalhes presentes no altar demoníaco, mas estava vivo. A Natureza jamais havia concebido a criatura daquela maneira, pois era evidente que estava incompleta. Apresentava deficiências dos mais variados tipos, e as anomalias nas proporções eram indescritíveis. Willett limitou-se a dizer que coisas como aquela deviam representar entidades que Ward invocara a partir de sais imperfeitos, e que as mantivera para fins servis ou ritualísticos. Se não tivessem importância, não teriam a imagem gravada na pedra maldita. A criatura não era a pior coisa representada na pedra – mas Willett não abriu mais nenhum fosso. Naquele momento, a primeira ideia coerente que lhe ocorreu foi um parágrafo retirado de certos documentos antigos de Curwen que havia examinado muito tempo antes; uma frase usada por Simon ou Jedediah Orne na agourenta missiva confiscada que tinha por destinatário o feiticeiro de outrora: "Com certeza, não havia senão o mais vivo horror naquilo que H. evocou daquilo que havia conseguido apenas em parte".

Então, de maneira a prover um horrível suplemento à imagem em vez de afastá-la, veio a lembrança dos ancestrais e duradouros boatos acerca da coisa queimada e retorcida encontrada nos campos uma semana após a invasão da casa de Curwen. Charles Ward certa vez havia contado ao Dr. Willett o que o velho Slocum dissera sobre aquele objeto – que não era nem totalmente humano, nem totalmente relacionado a qualquer outro animal que as pessoas de Pawtuxet tivessem visto ou lido a respeito.

As palavras ressoaram na cabeça do médico enquanto balançava de um lado para o outro, agachado no chão de pedra recoberto por salitre. Tentou afastá-las e rezou um Pai-Nosso a meia voz; e, passado algum tempo, perdeu-se em uma litania mnemônica como o poema "A Terra Devastada" do modernista T.S. Eliot, e por fim reverteu à fórmula dupla que havia encontrado inúmeras vezes na biblioteca subterrânea de Ward: "Y'ai 'ng'ngah, Yog-Sothoth", e assim prosseguiu até o derradeiro "Zhro". Aquilo pareceu acalmá-lo, e assim pôs-se de pé após um breve intervalo, lamentando com amargura a lanterna perdida durante o susto e olhando desesperadamente ao redor em busca de uma nesga qualquer de luz em meio ao breu e à atmosfera enregelante. Pensar seria impossível, mas apertou os olhos com o rosto voltado em todas as direções em busca de uma cintilação ou de um reflexo tênue da forte iluminação que deixara na biblioteca. Passado algum tempo, avistou o que parecia ser um brilho infinitamente longínquo, e pôs-se a engatinhar naquela direção com agonizante cautela em meio ao fedor e aos uivos, sempre tateando à frente para evitar colisões com as inúmeras pilastras ou ainda uma queda no interior do abominável fosso que havia destampado.

Em dado momento, os dedos trêmulos encostaram em algo que Willett imaginou ser o lance de degraus que conduzia até o altar demoníaco, quando então se encolheu, tomado de repulsa. Em outro instante, encontrou a laje furada que havia removido, e nesse ponto os cuidados que tomou chegariam quase a inspirar pena. Mas, no fim, não se aproximou da temida abertura, e nenhuma criatura emergiu a fim de impedir-lhe o progresso. Aquilo que havia estado lá no fundo não fazia sons nem se mexia. Sem dúvida a mastigação da lanterna elétrica derrubada não fizera bem à criatura. Cada vez que os dedos de Willett tocavam em uma laje perfurada, o médico estremecia. A passagem pelos pontos às vezes provocava um aumento nos gemidos lá embaixo, mas em geral não produzia efeito nenhum, uma vez que o explorador se movia de forma quase inaudível. Inúmeras vezes durante o progresso o brilho mais à frente sofreu uma notável diminuição de intensidade, e assim Willett percebeu que as diversas velas e lamparinas que tinha acendido deviam estar se apagando uma a uma. A ideia de acabar perdido em meio à mais absoluta escuridão sem nem ao menos um fósforo naquele mundo subterrâneo de labirintos saídos de um pesadelo levou-o a pôr-se de pé e correr – o que já podia ser feito em segurança, uma vez que o fosso aberto fora deixado para trás; pois Willett sabia que, quando a luz se extinguisse, a única esperança de resgate e de sobrevivência dependeria da possibilidade de o Sr. Ward enviar um grupo de resgate ao perceber a ausência do médico após um período suficiente de tempo. Naquele instante, contudo, deixou o espaço aberto para trás e entrou no corredor mais estreito, e assim pôde localizar o brilho, que vinha de uma porta à direita. Imediatamente dirigiu-se até lá e mais uma vez se viu na biblioteca secreta do jovem Ward, tremendo de alívio e observando o bruxulear daquela última lamparina que o havia guiado até um lugar seguro.

4.

No instante seguinte, o Dr. Willett começou a encher as lamparinas vazias usando um suprimento de querosene que havia avistado durante a primeira visita ao recinto, e, quando o cômodo tornou a se iluminar, olhou ao redor para ver se encontraria uma lanterna que o ajudasse a levar a exploração adiante. Embora estivesse atormentado pelo horror, a convicção implacável ainda era o sentimento dominante, e o médico estava decidido a não deixar nenhum detalhe passar em branco na investigação dos horrendos acontecimentos por trás da bizarra loucura de Charles Ward. Ao perceber que não havia nenhuma lanterna ao redor, decidiu levar consigo uma das lamparinas menores. Aproveitou para encher os bolsos com velas e fósforos, e também para transportar um galão de querosene, que pretendia usar em qualquer laboratório oculto que pudesse se revelar além do terrível espaço aberto com o altar profano e os inefáveis poços cobertos. Uma nova travessia daquele espaço haveria de exigir uma demonstração de extrema força moral, mas Willett sabia que não havia outra maneira. Por sorte, nem o terrível altar nem o fosso aberto localizavam-se próximos à parede repleta de celas que circundava toda a área da caverna e cujos negros e misteriosos arcos formavam o objetivo seguinte de uma exploração lógica.

Assim, Willett voltou para o grande saguão cheio de pilares, em meio ao fedor e aos uivos angustiantes, baixou a chama das lamparinas para evitar qualquer vislumbre longínquo do altar infernal ou do poço descoberto com a laje de pedra perfurada virada ao seu lado. A maioria das passagens levava apenas a pequenos cômodos, alguns vazios, outros evidentemente usados como depósitos e, em vários desses, viu curiosas pilhas de objetos variados. Um estava apinhado de trouxas de roupas podres e cobertas de pó e o explorador estremeceu ao se dar conta de que se tratava inconfundivelmente de vestimentas de um século e meio antes. Em outro cômodo, encontrou numerosas peças de vestuário moderno, como se aos poucos estivessem sendo feitas provisões para equipar um vasto contingente de homens. Mas o que mais o desagradou foram as enormes bacias de cobre espalhadas aqui e ali; estas e as sinistras incrustações que havia sobre elas. Desagradaram-lhe ainda mais que as tigelas de chumbo com figuras fantasmagóricas, cujos restos continham depósitos tão asquerosos e em torno das quais pairavam os repelentes odores perceptíveis mesmo sobre o fedor geral da cripta. Quando completou quase metade da circunferência da parede, descobriu outro corredor como aquele do qual viera, em que se abriam várias portas. Resolveu então investigá-las e, depois de adentrar três aposentos de tamanho médio sem nenhum conteúdo notável, chegou a um amplo cômodo oblongo cujo aspecto profissional com tanques e mesas, fornalhas e instrumentos modernos, alguns poucos livros e incontáveis prateleiras repletas de vidros e potes revelava-o como sendo enfim o tão procurado laboratório de Charles Ward – e, em tempos mais antigos, sem dúvida de Joseph Curwen.

Depois de acender as três lamparinas que havia encontrado e tinha de prontidão, o Dr. Willett examinou o lugar e todos os apetrechos que continha tomado pelo mais vivo interesse, notando, a partir da quantidade dos vários reagentes nas prateleiras, que a preocupação dominante do jovem Ward devia ter se concentrado em uma ramificação da química orgânica. No geral, não era possível apreender muita coisa a partir do equipamento científico, que incluía uma mesa de dissecação de aspecto medonho, de forma que o aposento foi uma decepção e tanto. Em meio aos livros havia um antigo exemplar em frangalhos de autoria de *Borellus*, impresso em letras góticas – e era interessante notar que Ward havia sublinhado a mesma passagem que tanto perturbara o bom Dr. Merritt na fazenda de Curwen mais de um século e meio antes. O exemplar mais antigo, é claro, devia ter perecido junto ao restante da biblioteca ocultista de Curwen na invasão final. Três arcos se abriam a partir do laboratório, e assim o doutor pôs-se a explorá-los um a um. A partir de um exame breve, pôde ver que dois simplesmente levavam a pequenos depósitos; mesmo assim, investigou-os minuciosamente, notando as pilhas de caixões nos mais diversos estágios de decomposição e estremecendo ante as duas ou três placas que conseguiu decifrar.

Também naqueles aposentos encontrou um grande número de peças de vestuário, bem como várias caixas de aparência recente e fechadas com pregos que não se deteve para examinar. Mas, talvez, o mais interessante de tudo fossem os estranhos detalhes que imaginou serem fragmentos do laboratório do velho Joseph Curwen. Estes haviam sofrido danos nas mãos dos invasores, mas ainda formavam uma parte reconhecível da parafernália química que remontava ao período georgiano.

O terceiro arco levava a uma câmara de tamanho considerável, totalmente forrada de prateleiras e com uma mesa e duas lamparinas no centro. Willett acendeu as lamparinas e, no brilho intenso, pôs-se a estudar as intermináveis prateleiras que o cercavam. Alguns dos níveis superiores estavam vazios, porém, a maior parte do espaço se encontrava repleta de estranhos recipientes de chumbo pertencentes a dois tipos; o primeiro sem nenhum pegador, como um *lekythos* ou vaso de azeite grego, e o outro com um único pegador e de formato semelhante a um jarro de Falero. Todos dispunham de uma tampa de metal e se encontravam cobertos por símbolos de aspecto peculiar moldados em baixo-relevo. Em um instante o médico percebeu que aqueles jarros estavam classificados de acordo com um rígido princípio; todos os *lekythoi* encontravam-se em um único lado da sala, guarnecido com uma placa de madeira onde se lia "Custodes" logo acima, e todos os jarros de Falero no outro, identificados da mesma forma com uma placa onde se lia "Matéria". Cada um dos vasos ou jarros, a não ser por certos espécimes avulsos nas prateleiras que estavam vazias, trazia uma etiqueta de papelão com um número que provavelmente se referia a um catálogo; e assim Willett decidiu procurar esse registro. Naquele momento, contudo, estava mais interessado na natureza daquela coleção como um todo e, à guisa de experimento, abriu diversos *lekythoi* e jarros de Falero ao acaso a fim de obter uma ideia geral. O resultado era sempre o mesmo. Os dois tipos de jarro continham apenas pequena quantidade de um único tipo de substância – um fino pó de peso quase desprezível composto por diversos matizes de uma cor neutra.

Quanto às cores que formavam a única instância de variação, não havia método evidente na maneira como estavam dispostas; e tampouco uma distinção entre o que se encontrava nos *lekythoi* e o que se encontrava nos jarros de Falero. Um pó cinza-azulado podia estar ao lado de um branco-rosado, e qualquer substância em um jarro de Falero podia ter uma contraparte exata em um *lekythos*. A característica mais notável dos pós era o fato de não serem aderentes. Willett derramou um punhado na palma da mão e, ao devolver o pó ao jarro, percebeu que nenhum resíduo permanecia grudado à pele.

O significado das placas intrigou-o, e então se perguntou por que aquela bateria de produtos químicos estaria separada de maneira tão radical dos potes de vidro que se encontravam nas prateleiras do laboratório em si. "Custodes", "Matéria"; eram as palavras latinas para "Guardas" e "Materiais", respectivamente – e logo um clarão da memória fez com que o Dr. Willett se recordasse onde tinha visto a palavra "Guardas" no contexto daquele terrível mistério. Tinha sido, é claro, na recente carta endereçada ao Dr. Allen, supostamente pelo velho Edward Hutchinson, e a frase dizia: "Não havia necessidade de manter os guardas em forma e comendo tanto, e muito poderia ser encontrado em caso de problemas, como os senhores bem sabem". O que significaria essa frase? Mas espere – não havia ainda outra referência a "guardas" que sequer havia lhe ocorrido durante a leitura da carta enviada por Hutchinson? No período em que ainda não mantinha sigilo, Ward lhe dissera que o diário de Eleazar Smith registrava a espionagem conduzida por Smith e Weeden na fazenda de Curwen, e que nessa pavorosa crônica havia menções a conversas ouvidas antes que o velho feiticeiro desaparecesse de uma vez por todas sob a terra. Smith e Weeden insistiam em dizer que haviam escutado terríveis colóquios entre Curwen, certos prisioneiros e os guardas desses prisioneiros. Esses guardas, de acordo com Hutchinson, ou com seu avatar, haviam comido tanto, de maneira que o Dr. Allen não os manteve em forma. E se não estavam em forma, como poderiam estar, senão como os "sais" a que o bando de feiticeiros parecia estar decidido a reduzir o maior número possível de corpos ou de esqueletos humanos?

Seria esse, portanto, o conteúdo dos *lekythoi* – o monstruoso fruto de ritos e atos ímpios, possivelmente convertido ou coagido à submissão a fim de, quando chamado por meio de um encantamento demoníaco, ajudar a defender o blasfemo mestre ou a interrogar os recalcitrantes? Willett estremeceu ao pensar no que havia derramado sobre as próprias mãos, e por um instante foi dominado pelo impulso de fugir em pânico daquela caverna repleta de prateleiras horrendas com guardiões silenciosos e talvez vigilantes. Então pensou na "Matéria" – na miríade de jarros de Falero que ocupavam o lado oposto do recinto. Sais, também – mas, se não os sais dos "guardas", então sais do quê? Meu Deus! Seria possível que lá estivessem as relíquias mortais de metade dos pensadores titânicos de todas as épocas, retirados por ladrões de sepulturas das criptas onde o mundo os tinha imaginado seguros e à mercê de loucos que buscavam extrair-lhes conhecimento a fim de cumprir um desígnio ainda mais ambicioso cujo resultado último diria respeito, como o pobre Charles havia insinuado no bilhete frenético, a "todas as civilizações, todas as leis naturais e talvez até mesmo o destino do sistema solar e do universo como um todo"? E Marinus Bicknell Willett havia deixado o pó desses homens correr por entre os dedos!

No momento seguinte, avistou uma diminuta porta no lado oposto do recinto e acalmou-se o suficiente para se aproximar e examinar o rústico símbolo entalhado logo acima. Era apenas um símbolo e, no entanto, instilou-lhe um vago pavor espiritual; pois, certa vez, um amigo mórbido e sonhador o havia traçado em uma folha de papel e discorrido sobre os significados que adquire nos negros abismos do sono. Era o símbolo de Koth, que os sonhadores veem afixado logo acima da arcada de uma certa torre negra que se ergue solitária em meio ao crepúsculo – e Willett não gostou nem um pouco do que o amigo Randolph Carter tinha dito acerca dos poderes que continha. Mesmo assim, um instante mais tarde esqueceu-se do símbolo ao reconhecer um novo odor acre na atmosfera pestilenta. Era um cheiro químico, e não animal, que sem dúvida tinha origem no cômodo do outro lado da porta. E era, inconfundivelmente, o mesmo odor que havia saturado as roupas de Charles Ward no dia em que os médicos o levaram embora. Então era aquele o lugar em que o jovem fora interrompido pelo derradeiro chamado? Nesse caso, Ward seria mais sábio do que Curwen, pois não havia resistido. Willett, determinado a penetrar todos os portentos e pesadelos que aquele reino subterrâneo pudesse conter, apanhou a pequena lamparina e atravessou o umbral. Uma onda de pavor inefável veio a seu encontro, mas o explorador não cedeu a nenhum devaneio e aferrou-se à intuição. Não havia nenhuma criatura viva capaz de fazer-lhe mal naquele lugar, e tampouco se permitiria hesitar na investigação da nuvem quimérica que envolvera o seu paciente.

O cômodo além da porta possuía dimensões medianas, e não havia nenhuma mobília a não ser uma mesa, uma única cadeira e dois grupos de curiosas máquinas com rodas e presilhas, que, passados alguns instantes, Willett reconheceu como instrumentos medievais de tortura. Ao lado da porta havia um suporte com diversos azorragues de aparência brutal, acima dos quais se encontravam prateleiras com fileiras vazias de copas em chumbo no formato de cílices gregos. No outro lado estava a mesa, com uma poderosa lâmpada de Argand, um bloco de anotações acompanhado de um lápis e dois *lekythoi* tampados trazidos das prateleiras do outro cômodo e largados a espaços irregulares, como que de maneira provisória ou precipitada. Willett acendeu a lâmpada e examinou minuciosamente o bloco para ver que notas o jovem Ward poderia haver tomado quando foi interrompido, mas não encontrou nada mais compreensível do que os seguintes fragmentos desconexos escritos com as garatujas de Curwen, que não ajudavam a esclarecer nenhum aspecto do caso tomado como um todo:

"B. não feito. Fugiu dentro das paredes e encontrou lugar lá embaixo." "Vi o velho V. dizer o Sabaoth e aprendi o caminho." "Evoquei Yog-Sabaoth três vezes e no dia seguinte fui libertado." "F. tentou apagar todo conhecimento para evocar os de fora."

Quando o forte brilho da lâmpada de Argand iluminou o cômodo por completo, o médico viu que a parede defronte à porta, entre os dois grupos de instrumentos de tortura dispostos nos cantos, tinha ganchos de onde pendiam mantos informes de um branco-amarelado um tanto lúgubre. Porém, ainda mais interessantes eram as duas paredes vazias, cobertas por símbolos e fórmulas místicas entalhadas de maneira rústica na pedra lisa. O assoalho úmido também ostentava marcas de entalhaduras, e Willett não teve dificuldade para decifrar um enorme pentagrama no centro, com um círculo branco de cerca de um metro de diâmetro a meio caminho entre o símbolo místico e cada um dos cantos. Em um desses quatro círculos, próximo ao lugar onde um manto amarelado fora atirado de qualquer jeito ao chão, repousava um cílice raso como aqueles que se encontravam acima do suporte para os azorragues; e logo além da periferia encontrava-se um dos jarros de Falero retirados das prateleiras do outro recinto, que trazia na etiqueta o número 118. Esse jarro não se encontrava tampado, e um rápido exame revelou que estava vazio; porém, o médico estremeceu ao ver que o cílice não estava. Na área rasa, preservada pela ausência de vento naquela caverna erma, havia uma pequena quantidade de um pó de coloração verde-fluorescente que devia anteriormente estar contido no jarro; e Willett quase sentiu vertigens ao perceber as implicações que se impuseram assim que, aos poucos, começou a estabelecer relações entre os vários elementos e antecedentes da cena. Os azorragues e os instrumentos de tortura, o pó ou os sais no jarro de "Matéria", os dois *lekythoi* da prateleira marcada como "Custodes", os mantos, as fórmulas nas paredes, as anotações no bloco, as insinuações de cartas e lendas e os milhares de vislumbres, dúvidas e suposições que atormentavam os amigos e os pais de Charles – a soma desses elementos atingiu o Dr. Willett como uma onda de terror quando olhou em direção ao pó esverdeado que se espalhava pelo cálice de chumbo deixado no chão.

No entanto, com certo esforço, Willett se recompôs e começou a estudar as fórmulas entalhadas nas paredes. A dizer pelas letras manchadas e com diversas incrustações, parecia evidente que remontassem à época de Joseph Curwen, e o texto apresentava uma vaga familiaridade para alguém que tivesse lido o farto material a respeito de Curwen ou estudado a fundo a história da magia. Uma fórmula foi reconhecida por Willett como sendo aquela que a Sra. Ward ouvira o filho entoar naquela agourenta Sexta-Feira Santa de um ano antes, que, segundo um especialista, consistia em uma terrível invocação a deuses proscritos que se encontravam além das esferas normais do ser. Não estava soletrada exatamente como a Sra. Ward a havia registrado de memória, tampouco como o especialista lhe havia mostrado no volume proscrito de "Éliphas Lévi", mas a identidade era inconfundível, e palavras como Sabaoth, Metraton, Almousin e Zariatnatmik fizeram com que um arrepio de pavor varasse o corpo do homem, que tinha visto e sentido de muito perto a abominação cósmica à espreita.

As palavras encontravam-se no lado esquerdo de quem entrava no recinto. O lado direito apresentava uma quantidade similar de inscrições, e Willett teve um sobressalto ao reconhecer um par de fórmulas que ocorriam com grande frequência nas recentes notas encontradas na biblioteca. Em termos gerais, eram idênticas, e ostentavam os símbolos ancestrais da "Cabeça do Dragão" e da "Cauda do Dragão" no alto da página, que a seguir dava lugar à caligrafia de Ward. Entretanto, a grafia variava bastante em relação às versões modernas, como se o velho Curwen usasse um método diferente para registrar os sons, ou como se um estudo mais aprofundado tivesse encontrado variantes mais perfeitas e mais poderosas das invocações em questão. O médico tentou conciliar a versão entalhada àquela que insistia em martelar-lhe os pensamentos, porém encontrou dificuldades. No ponto em que a fórmula memorizada dizia "Y'ai 'ng 'ngah, Yog-Sothoth", a epígrafe trazia "Aye, engengag, Yogge-Sothotha", o que dava a impressão de causar uma séria interferência à silabação da segunda palavra.

Em função da intensidade com que o último texto havia se impregnado nos pensamentos do explorador, a discrepância o perturbou; e logo se viu entoando a primeira das fórmulas em voz alta em uma tentativa de conciliar o som que havia concebido às letras entalhadas que encontrara. Estranha e ameaçadora soou-lhe a própria voz naquele abismo de blasfêmia ancestral, com trenos que seguiam o ritmo de uma litania insistente devido a um feitiço antigo e ignoto ou devido ao exemplo infernal dos uivos abafados e ímpios que se erguiam dos fossos onde distantes cadências rítmicas e inumanas se erguiam e se atenuavam em meio ao fedor e às trevas.

"Y'AI 'NG'NGAH, YOG-SOTHOTH
H'EE – L'GEB F'AI THRODOG
UAAAH!"

Mas o que seria o vento gélido que de repente havia soprado logo nas primeiras sílabas do cântico? As lamparinas bruxuleavam de forma triste, e a escuridão se adensou de tal maneira que as letras na parede quase desapareceram em meio às trevas. Havia também fumaça, e um odor acre que abafou quase por completo o fedor dos poços distantes; um odor como o que havia surgido antes, porém infinitamente mais forte e mais pungente. Então o Dr. Willett desviou o olhar das inscrições para virar-se em direção à câmara repleta de itens bizarros e notou que o cílice no chão, no qual o agourento pó fosforescente se encontrava, havia começado a emanar uma densa nuvem de vapor preto-esverdeado com volume e opacidade surpreendentes. Aquele pó – Meu Deus! Aquilo havia saído da estante de "Matéria" – mas o que estaria fazendo naquele instante, e o que teria desencadeado o processo? A fórmula que havia entoado – a primeira do par –, a Cabeça do Dragão, nó ascendente – Pai do Céu, seria possível...?

Willett viu-se tomado por vertigens, e por seus pensamentos correram fragmentos desconexos de tudo o que tinha visto, ouvido e lido a respeito do pavoroso caso de Joseph Curwen e de Charles Dexter Ward. "Recomendo-lhe mais uma vez que não evoque ninguém que não possa mandar de volta... Tenha as palavras prontas todas as vezes para mandar de volta e não se detenha para ter certeza quando houver alguma dúvida de quem o senhor tem... Três conversas com Aquilo que estava inumado..." Por misericórdia, o que era o vulto por trás da fumaça que se descortinava?

5.

Marinus Bicknell Willett não tinha a menor esperança de que as pessoas acreditassem em sua história, a não ser os amigos mais próximos, e por esse motivo não chegou sequer a contá-la fora do círculo dos companheiros mais íntimos. Apenas algumas pessoas de fora tomaram conhecimento do relato, e a maioria destas simplesmente riu e afirmou que o médico sem dúvida estava começando a sentir o peso da idade. Aconselharam-no a tirar longas férias e a evitar todo tipo de envolvimento futuro em casos de perturbação mental. Mas o patriarca Ward sabe que o médico veterano não fez mais do que revelar uma verdade horrenda. Não tinha visto com os próprios olhos a abertura insalubre no porão da casa em Pawtuxet? Willett não o havia deixado em casa, vencido e doente, às onze horas daquela agourenta manhã? Não havia telefonado ao médico em vão ao entardecer, e mais uma vez no dia seguinte, e não se dirigira mais uma vez à casa em Pawtuxet na tarde subsequente, apenas para encontrar o amigo desacordado em uma das camas no andar de cima? Willett respirava em arquejos, mas abriu os olhos devagar quando o Sr. Ward ofereceu-lhe um gole do uísque que tinha no carro. Então estremeceu e gritou, "Aquela barba... aqueles olhos... Meu Deus, quem é você?" Era um comentário um tanto estranho a se fazer para um cavalheiro elegante, bem-escanhoado e de olhos azuis que havia conhecido desde a juventude.

Na luz forte do meio-dia, a casa permanecia inalterada desde a manhã anterior. As roupas de Willett não traziam nenhum sinal de desalinho a não ser por certas manchas e um certo desgaste nos joelhos, e apenas um discreto odor acre lembraria o Sr. Ward do cheiro que exalara do filho no dia em que o levaram para o hospital. A lanterna do médico havia se perdido, mas a valise estava segura, e vazia como a trouxera. Antes de oferecer qualquer explicação, e obviamente com um grande esforço moral, Willett cambaleou, tomado por vertigens, até o porão e tentou abrir a fatídica plataforma defronte às tinas. O objeto não se moveu. Depois de ir até o ponto em que deixara a bolsa de ferramentas no dia anterior, sacou um formão e começou a forçar as resistentes tábuas uma a uma. Por baixo o concreto liso ainda era visível, mas, quanto a qualquer abertura ou perfuração, não restava nenhum traço. Nenhuma passagem se abriu naquele momento para nausear o pai estupefato que tinha descido o lance de escadas em companhia do médico; havia apenas o concreto liso por baixo das tábuas – nenhum poço insalubre, nenhum horror subterrâneo, nenhuma biblioteca secreta, nenhum papel de Curwen, nenhum fosso saído de um pesadelo de uivos e fedores, nenhum laboratório com prateleiras e fórmulas entalhadas... O Dr. Willett empalideceu e agarrou-se ao homem mais jovem. "Ontem", perguntou a meia voz, "você também viu aqui... você também sentiu o cheiro?" E quando o Sr. Ward, transfixado pelo horror e pelo espanto, reuniu forças para fazer um gesto afirmativo com a cabeça, o médico soltou um suspiro engasgado e respondeu-lhe com um gesto idêntico. "Então vou contar tudo", disse.

E assim, durante uma hora no recinto mais ensolarado que puderam encontrar no andar de cima, o médico sussurrou o terrível relato ao pai perplexo. Não havia nada a relatar além do vulto que surgiu quando o vapor preto-esverdeado que saiu do cílice descortinou-se, e Willett estava cansado demais para indagar sobre o que de fato teria ocorrido. Os dois homens trocaram inúteis meneios de cabeça, e em um dado momento o Sr. Ward aventurou-se a perguntar a meia voz: "Você acha que resolveria alguma coisa se cavássemos?" O médico permaneceu em silêncio, pois não julgou adequado responder sabendo que os poderes de esferas ignotas haviam chegado a esse lado do Grande Abismo. O Sr. Ward tornou a perguntar: "Para onde foi aquela coisa? Você sabe que foi aquilo que o trouxe até aqui e que de algum modo fechou o acesso." E mais uma vez Willett respondeu com o silêncio.

Mesmo assim, a história estava longe de acabar. Quando estendeu a mão a fim de pegar o lenço antes de se levantar e partir, o Dr. Willett fechou os dedos ao redor de um pedaço de papel no interior do bolso que não havia estado lá anteriormente e que se fez acompanhar pelas velas e fósforos que havia encontrado nas galerias desaparecidas. Era uma folha comum, sem dúvida arrancada do bloco que se encontrava naquele fabuloso recinto de horror nas galerias subterrâneas, e a caligrafia sobre o papel era a de um lápis de grafite ordinário – com certeza o instrumento que se encontrava ao lado do bloco. A folha estava dobrada sem nenhum cuidado e, à exceção do discreto cheiro acre das câmaras crípticas, não trazia nenhuma marca ou sugestão de qualquer outro mundo que não o nosso. Do texto, contudo, trescalavam portentos, pois não se tratava de uma caligrafia da época contemporânea, mas dos traços rebuscados das trevas medievais, legíveis somente a duras penas aos olhos dos leigos que naquele instante se debruçaram sobre o papel, que, no entanto, ostentava símbolos vagamente familiares. Eis a mensagem rabiscada às pressas – e o mistério instilou convicção na dupla de investigadores abalados, que sem mais delongas foram até o carro do Sr. Ward e ordenaram ao motorista que passasse em um restaurante silencioso e depois os levasse até a John Hay Library na colina.

Na biblioteca não foi difícil encontrar bons manuais de paleografia, e os homens deixaram-se intrigar por esses volumes até que as luzes do anoitecer se refletissem no enorme lustre. No fim, encontraram o que tanto haviam procurado. As letras não eram nenhuma invenção fantástica, mas apena a caligrafia ordinária de um período obscuro ao extremo. Eram as minúsculas saxônicas do século VIII ou IX, e traziam consigo memórias de uma época de barbárie em que, sob o novo lustre do cristianismo, religiões antigas e ritos ancestrais moviam-se às furtadelas enquanto a lua pálida da Bretanha por vezes contemplava as estranhas cerimônias nas ruínas romanas de Caerleon e de Hexham, e também junto às torres da muralha decrépita de Adriano. As palavras eram vazadas no latim que se podia esperar de uma época bárbara – "*Corvinus necandus est. Cadaver aq(ua) forti dissolvendum, nec aliq(ui)d retinendum. Tace ut potes*" – e podem ser traduzidas aproximadamente como: "Curwen deve ser morto. O corpo deve ser dissolvido em água-forte, e nada deve restar. Guarde silêncio tanto quanto possível".

Willett e o Sr. Ward permaneceram em silêncio, perplexos. Ao se defrontarem com o desconhecido, perceberam que não tinham emoções adequadas para reagir da maneira como haviam vagamente antecipado. No caso de Willett, em particular, a capacidade de receber novas impressões de espanto havia chegado muito próximo do limite; e os dois homens permaneceram sentados, imóveis e indefesos, até que o fechamento da biblioteca os obrigasse a ir embora. Então seguiram de carro até a mansão Ward na Prospect Street e falaram noite adentro sem chegar a nenhuma conclusão. O médico descansou perto do amanhecer, mas não foi para casa. Ainda estava na mansão quando, ao meio-dia de domingo, recebeu um telefonema dos detetives contratados para vigiar o Dr. Allen.

O Sr. Ward, que andava nervosamente de um lado para o outro vestido com um roupão, atendeu pessoalmente o telefonema, e solicitou aos homens que fizessem uma visita à casa na manhã seguinte ao saber que tinham um relatório quase pronto. Tanto Willett quanto o Sr. Ward alegraram-se ao perceber que aquela fase da investigação estava tomando corpo, pois qualquer que fosse a origem da estranha mensagem em minúsculas, tudo indicava que o "Curwen" a ser destruído não podia ser outro senão o forasteiro de barba e de óculos escuros. Charles havia temido esse homem, e também havia dito no bilhete frenético que devia ser morto e dissolvido em ácido. Como se não bastasse, Allen vinha recebendo cartas de estranhos feiticeiros da Europa sob a alcunha de Curwen, e não havia dúvidas de que se considerava um avatar do necromante de outrora. E, naquele instante, uma nova e até então desconhecida fonte havia surgido, dizendo que "Curwen" devia ser morto e dissolvido em ácido. Os elos pareciam demasiado coesos para que fossem engendrados; além do mais, Allen não estava planejando o assassinato do jovem Ward a pedido da criatura chamada Hutchinson? Claro, a carta talvez nunca tivesse chegado até o forasteiro barbudo; mas, a partir do texto, foi possível determinar que Allen já tinha planos concretos para lidar com o jovem caso viesse a mostrar-se demasiado "melindroso". Sem dúvida, Allen precisava ser detido e, mesmo que as providências mais drásticas não se fizessem necessárias, devia ser colocado em um lugar onde não pudesse fazer mal a Charles Ward.

Naquela tarde, em uma vã esperança de arrancar informações acerca dos mais profundos mistérios da única pessoa capaz de fornecê-las, o pai e o médico dirigiram-se até a baía para visitar o jovem Charles no hospital. Com palavras simples e graves, Willett contou-lhe tudo o que havia descoberto até então e notou que o jovem empalidecia à medida que cada descrição corroborava ainda mais a certeza da descoberta. O médico usou o maior número possível de efeitos dramáticos e permaneceu atento a qualquer expressão de sofrimento no semblante de Charles quando abordou a questão dos poços cobertos e dos inomináveis seres híbridos que continham. Mas a expressão de Ward não se alterou. Willett deteve-se e passou a falar com uma voz indignada quando mencionou que as criaturas estavam passando fome.

Acusou o jovem de ter adotado um comportamento desumano, e estremeceu ao receber como resposta apenas uma risada sardônica. Charles, tendo abandonado qualquer pretensão de fingir que a cripta não existia, deu a impressão de encarar toda aquela circunstância como uma grande piada macabra, e viu-se obrigado a abafar o riso. Então sussurrou, em tons de horror redobrado em função da voz alquebrada que usou, "Que se danem! Eles comem, mas não precisam! Essa é a parte estranha! Um mês sem comida, o senhor disse? Ora, quanta modéstia! Aquele era o chiste que fazíamos com o pobre e velho Whipple, com sua arrogância virtuosa! Matar tudo aquilo, ele? Ah, o desgraçado ficou surdo com os rumores do Espaço Sideral e nunca viu nem ouviu coisa alguma vinda dos poços! Nunca sequer imaginou que existissem! Que o demônio vos leve – aquelas coisas estão uivando lá embaixo desde que Curwen mordeu a terra cento e cinquenta e sete anos atrás!"

Willett foi incapaz de arrancar mais informações do jovem. Horrorizado, porém quase persuadido malgrado a própria vontade, deu seguimento à própria história na esperança de que um incidente qualquer pudesse despertar o interlocutor da insana compostura adotada. Ao encarar o rosto do jovem, o médico não conseguiu evitar um vago sentimento de terror ao perceber as mudanças operadas pelos meses recentes. Em verdade o rapaz havia trazido horrores inomináveis dos céus. Quando o recinto em que se encontravam as fórmulas e o pó verde foi mencionado, Charles deu a primeira mostra de entusiasmo.

Uma expressão de curiosidade tomou conta do rosto quando ouviu o relato sobre o que Willett havia lido no bloco de anotações, e a seguir o jovem afirmou, em um sucinto comentário, que os apontamentos eram antigos e desprovidos de significado para qualquer pessoa que não detivesse profundos conhecimentos relativos à história da magia. "Mas", acrescentou, "se o senhor conhecesse a fórmula para invocar aquilo que estava no cílice, não estaria aqui para me contar essa história. Aquele era o número 118, e imagino que o senhor teria estremecido se houvesse consultado a lista no outro cômodo. Eu mesmo jamais o invoquei, muito embora pretendesse conjurá-lo no dia em que o senhor apareceu e mandou-me para cá."

Então Willett falou sobre a fórmula que havia repetido e a fumaça preto-esverdeada que havia se erguido; e, enquanto falava, viu o mais puro medo despontar pela primeira vez no semblante de Charles Ward. "Ele apareceu e o senhor está vivo?" Quando Ward crocitou as palavras, a voz parecia ter vencido todas as barreiras e afundado em abismos cavernosos de lúgubres ressonâncias. Willett, em um súbito lampejo de inspiração, imaginou ter compreendido o que se passava, e assim incluiu na resposta o alerta retirado de uma correspondência que havia recordado. "Não. 118, você diz? Não se esqueça de que as pedras Tumulares se encontram trocadas em nove de cada dez cemitérios. Não há como ter certeza sem perguntar!" Então, sem nenhum aviso prévio, sacou a diminuta mensagem e postou-a ante os olhos do paciente. Não poderia ter imaginado um resultado mais contundente, pois no mesmo instante Charles Ward desfaleceu.

Toda a conversa, é claro, fora conduzida no mais absoluto sigilo para evitar que os psiquiatras residentes acusassem o pai e o médico de incentivar os delírios patológicos de um louco. Sem nenhum auxílio externo, o Dr. Willett e o Sr. Ward levantaram o jovem desfalecido e puseram-no em cima do sofá. Quando voltou a si, o paciente emitiu diversos balbucios a respeito de uma mensagem que precisava despachar de imediato para Orne e Hutchinson, de modo que, quando a consciência pareceu voltar por completo, o médico lhe asseverou que pelo menos uma dessas estranhas criaturas era um inimigo encarniçado que havia sugerido ao Dr. Allen que o matasse. Essa revelação não produziu nenhum efeito visível, e mesmo antes os visitantes puderam ver que o anfitrião tinha o olhar de um homem acossado.

Daquele ponto em diante, Charles Ward recusou-se a continuar a conversa, e assim Willett e o pai resolveram ir embora, deixando para trás um alerta em relação ao barbudo Allen, ao qual o jovem respondeu prontamente dizendo que já havia dado um jeito no assunto e que essa pessoa não faria mal a mais ninguém nem se quisesse. O comentário fez-se acompanhar de uma risada malévola muito dolorosa de ouvir. Willett e o Sr. Ward não se preocuparam com a chance de que Charles pudesse escrever uma carta para a monstruosa dupla na Europa, pois sabiam que as autoridades do hospital interceptavam toda a correspondência externa para fins de censura e que não deixariam passar nenhuma mensagem extravagante ou desvairada.

Existe, no entanto, uma curiosa sequência para a história de Orne e de Hutchinson, se de fato os feiticeiros no exílio chamavam-se assim. Movido por um vago pressentimento em meio aos horrores desse período, Willett contratou um serviço de recortes internacionais para que se mantivessem atentos a quaisquer relatos de crimes e acidentes em Praga e no leste da Transilvânia; seis meses depois, convenceu-se de que havia encontrado dois itens de suma importância na miscelânea de recortes que havia recebido e mandado traduzir. Um dizia respeito à destruição total de uma casa à noite no bairro mais antigo de Praga e ao desaparecimento de um velho maléfico chamado Josef Nadek, que morava sozinho desde as mais remotas lembranças dos moradores locais. O outro dizia respeito a uma explosão titânica nas montanhas da Transilvânia a leste de Rakus e ao total aniquilamento do agourento Castelo Ferenczy e de todos os antigos ocupantes – um lugar cujo proprietário era tão mal falado pelos camponeses e soldados da região que em breve teria sido intimado a se apresentar em Bucareste para um interrogatório se o incidente não tivesse dado fim a uma longa carreira que remontava a tempos anteriores à lembrança comum. Willett sustenta que a mão que escreveu as minúsculas também era capaz de empunhar armas mais fortes, e que, embora a aniquilação de Curwen tenha ficado a seu próprio encargo, o autor em pessoa teria saído em busca de Orne e de Hutchinson. Em relação ao destino que se teria abatido sobre os dois, o médico evita ao máximo pensar.

6.

Na manhã seguinte, o Dr. Willett apressou-se rumo à mansão dos Ward para estar presente quando os detetives chegassem. A destruição ou a captura de Allen – ou de Curwen, se a tácita alegação de reencarnação fosse deveras válida – devia ser empreendida a todo custo, e o médico detalhou essa convicção ao Sr. Ward enquanto os dois permaneciam sentados à espera dos homens. Nessa ocasião encontravam-se no térreo, pois as partes superiores da casa estavam sendo evitadas em função da peculiar repugnância que pairava de maneira indefinida ao redor de tudo; uma repugnância que os criados de longa data associavam a uma maldição deixada pelo desaparecido retrato de Curwen.

Às nove horas, os três detetives apresentaram-se e no mesmo instante relataram tudo o que tinham a relatar. Infelizmente, não tinham localizado o nativo de Brava Tony Gomes como haviam desejado, tampouco encontrado qualquer resquício sobre a origem ou o paradeiro do Dr. Allen, mas tinham conseguido reunir um número considerável de impressões e fatos relativos ao lacônico forasteiro. Allen tinha dado aos habitantes de Pawtuxet a impressão de que seria uma criatura vagamente sobrenatural, e havia uma crença generalizada de que a grossa barba escura seria ou tingida ou postiça – uma crença demonstrada de maneira irrefutável quando uma barba postiça de acordo com essa descrição e acompanhada por um par de óculos escuros foi encontrada no quarto que havia ocupado na fatídica casa em Pawtuxet. A voz, como o Sr. Ward poderia confirmar a partir da conversa telefônica, tinha um caráter profundo e sepulcral que seria impossível esquecer, e o olhar irradiava malevolência até mesmo por trás dos óculos escuros com armação de casco de tartaruga. Um certo comerciante, durante o curso das negociações, tinha visto um espécime da caligrafia de Allen e declarou que consistia em estranhas garatujas, o que foi confirmado pelas enigmáticas notas a lápis encontradas no quarto que ocupava e mais tarde reconhecidas pelo comerciante. Em relação às suspeitas de vampirismo aventadas no verão anterior, a maioria dos boatos indicava que Allen, e não Ward, seria efetivamente o vampiro. Também foram colhidos relatos dos policiais que haviam visitado a casa em Pawtuxet após o desagradável incidente do roubo com o caminhão. Todos haviam pressentido menos elementos sinistros no Dr. Allen, mas a partir de então passaram a considerá-lo a figura dominante na estranha casa ensombrecida. O lugar era demasiado escuro para que pudessem vê-lo com nitidez, mas seriam capazes de reconhecê-lo mesmo assim. A barba parecia estranha, e o homem parecia ter uma discreta cicatriz acima do olho direito por trás dos óculos. Quanto à busca empreendida pelos detetives no quarto de Allen, não trouxe nenhuma revelação decisiva além da barba e dos óculos e de várias anotações a lápis feitas com garatujas que Willett no mesmo instante reconheceu como sendo idênticas àquelas nos antigos manuscritos de Curwen e nas volumosas notas recentes do jovem Ward encontradas nas desaparecidas catacumbas de horror.

O Dr. Willett e o Sr. Ward receberam a impressão de um profundo, sutil e insidioso medo cósmico das informações que aos poucos se desvelavam, e quase estremeceram ao levar adiante o pensamento vago e insano que lhes ocorreu ao mesmo tempo. A barba postiça e os óculos, as garatujas de Curwen – o velho retrato e a pequena cicatriz, e o jovem desvairado no hospital com uma cicatriz idêntica, a voz profunda e sepulcral ao telefone – não fora nessas coisas que o Sr. Ward pensou ao ouvir o filho latir as notas dignas de pena às quais naquele ponto afirmava estar reduzido? Alguém já tinha visto Charles e Allen juntos? Uma vez, os policiais – mas e depois? Não foi quando Allen se afastou que Charles de repente perdeu o medo cada vez maior e começou a viver de forma plena na casa em Pawtuxet? Curwen – Allen – Ward – em que fusão blasfema e abominável essas duas épocas e essas duas pessoas teriam se envolvido? A semelhança maldita entre Charles e o retrato – por acaso a pintura não costumava encarar o jovem e segui-lo com os olhos pelo cômodo? Mas por que tanto Allen quanto Charles haveriam de copiar a caligrafia de Joseph Curwen, mesmo sozinhos e com a guarda baixa? E havia também o horrendo trabalho dessas pessoas – a cripta de horrores perdida que havia levado o médico a envelhecer de um dia para o outro; os monstros famintos nos poços insalubres; a pavorosa fórmula capaz de trazer resultados inomináveis; a mensagem em minúsculas encontrada no bolso de Willett; os papéis e as cartas e as discussões acerca de túmulos e "sais" e descobertas – como tudo poderia encaixar-se? No fim, o Sr. Ward fez a coisa mais sensata. Armado contra todos os questionamentos quanto ao motivo para agir dessa forma, entregou aos detetives um objeto que devia ser mostrado aos comerciantes de Pawtuxet que tivessem visto o agourento Sr. Allen. O objeto era uma fotografia do próprio filho desafortunado, na qual desenhou, com todo o cuidado, à tinta, um par de pesados óculos escuros e a barba negra e pontuda que os detetives haviam trazido do quarto de Allen.

Por duas horas esperou com Willett na atmosfera opressiva da mansão onde o medo e os miasmas aos poucos se mesclavam enquanto o painel vazio na biblioteca do terceiro andar de cima permanecia a fitar com malícia. Então os homens retornaram. De fato, a fotografia alterada era uma representação absolutamente passável do Dr. Allen. O Sr. Ward empalideceu, e Willett enxugou com um lenço a testa que se havia umedecido de repente. Allen – Ward – Curwen – tudo estava se tornando horrendo demais para um raciocínio coerente. O que o garoto havia invocado do abismo, e como a entidade poderia tê-lo afetado? O que, em suma, havia acontecido do início ao fim? Quem era esse Allen que tentara matar Charles por considerá-lo "melindroso" em demasia, e por que a vítima pretendida havia dito no pós-escrito à carta frenética que o forasteiro devia ser destruído com ácido? Por que, além do mais, a mensagem em minúsculas, cuja origem ninguém se atrevia a cogitar, dizia que "Curwen" devia ser destruído de maneira idêntica? No que consistiria a mudança, e quando o estágio final havia chegado?

No dia em que o bilhete frenético foi recebido, Charles havia passado a manhã inteira nervoso, e depois operou-se uma mudança. O jovem se esgueirou para fora da casa sem que ninguém o visse e caminhou a passos largos, deixando para trás os homens contratados para vigiá-lo. Durante aquele tempo esteve fora. Mas não – por acaso não havia soltado um grito de terror ao adentrar o gabinete – aquele mesmo recinto? O que havia encontrado lá dentro? Ou, então – o que o havia encontrado? O simulacro que tornou a casa sem que o vissem partir – seria um espectro sideral e um horror que se abatia sobre uma figura trêmula que, na verdade, jamais havia saído? O mordomo não havia mencionado barulhos estranhos?

Willett pediu que chamassem o homem e fez-lhe algumas perguntas em voz baixa. Sem dúvida a situação havia sido tensa.

Houve barulhos – um grito, um suspiro e um engasgo, e a seguir uma espécie de rangido ou estrépito ou baque, ou ainda todos os três. E o Sr. Charles não era mais o mesmo quando deixou o cômodo sem dizer uma palavra sequer. O mordomo tremia ao falar, e sentiu o cheiro do ar fétido que soprava de uma janela aberta no andar de cima. O terror havia se instalado em definitivo na mansão, e apenas os detetives profissionais davam a impressão de não ter digerido a notícia. Mesmo assim, também estavam irrequietos, pois no segundo plano o caso apresentava elementos vagos que não lhes agradavam nem um pouco. O Dr. Willett pensava com profundidade e clareza, e esses pensamentos eram terríveis. Às vezes quase sucumbia aos balbucios enquanto examinava mentalmente uma nova, terrível e cada vez mais conclusiva cadeia de acontecimentos dignos de um pesadelo.

Então o Sr. Ward sinalizou que a conferência havia chegado ao fim, e todos, à exceção dele e do médico, deixaram o recinto. Era meio-dia, porém sombras como as da noite que cai ameaçavam engolir a casa assombrada por espectros em um triunfo de zombaria. Willett começou a falar em tom muito sério com o anfitrião e insistiu em pedir-lhe que deixasse grande parte da futura investigação a seu encargo.

Segundo imaginava, haveria certos elementos nocivos que um amigo poderia suportar melhor do que um familiar. Como médico da família, precisaria ter carta branca, e a primeira coisa que exigiu foi um período de solidão e repouso na biblioteca abandonada do andar de cima, onde o antigo painel havia ganhado uma aura de horror insalubre mais intensa do que quando as próprias feições de Joseph Curwen espreitavam com olhos argutos de cima do retrato pintado.

O Sr. Ward, perplexo ante a enxurrada de elementos morbidamente grotescos e de sugestões inconcebivelmente insanas que o assaltavam por todos os lados, não teve alternativa senão aquiescer; e, meia hora mais tarde, o médico estava trancado no temido recinto com o painel retirado de Olney Court. O pai, escutando no lado de fora, ouviu sons de movimentações e de vasculhamentos à medida que o tempo passava; e por fim um esforço e um rangido, como se um pesado armário estivesse a ser aberto. Então veio um grito abafado, uma espécie de engasgo e um baque veloz, provocado pelo fechamento do que quer que tivesse sido aberto. Quase no mesmo instante a chave movimentou-se na fechadura e Willett apareceu no corredor, com uma expressão sinistra e tétrica, e exigiu lenha para a lareira na parede sul da habitação. Asseverou que a fornalha não seria o bastante; e a lareira elétrica teve pouco uso prático.

Angustiado, porém avesso a fazer perguntas, o Sr. Ward deu as ordens correspondentes e um homem levou troncos de pinho, estremecendo ao penetrar a atmosfera pestilenta da biblioteca a fim de colocá-los na grelha. Nesse meio-tempo, Willett subiu ao laboratório desativado e desceu com uma miscelânea de itens não levados durante a mudança efetuada no mês de julho anterior. Estavam todos em uma cesta coberta, e o Sr. Ward jamais chegou a ver do que se tratava.

Então o médico trancou-se mais uma vez na biblioteca, e pelas nuvens de fumaça que saíam da chaminé e ondulavam em frente às janelas, pôde-se depreender que havia acendido o fogo. Mais tarde, após um intenso farfalhar de jornais, o puxão e o rangido foram ouvidos mais uma vez, seguidos por um baque que desagradou a todos os que o ouviram. A seguir, vieram dois gritos abafados de Willett, e no momento seguinte um rumor que provocou um indefinível sentimento de repulsa. A fumaça empurrada pelo vento tornou-se muito escura e acre, e todos desejaram que o clima os houvesse poupado daquela sufocante e deletéria inundação de vapores peculiares. O Sr. Ward sentiu a cabeça rodopiar vertiginosamente, e toda a criadagem amontoou-se em um grupo compacto para ver a horrenda fumaça preta descer pela chaminé. Após um longo tempo de espera, os vapores deram a impressão de se dissipar, e os ruídos quase amorfos de arranhões, deslizamentos e de outras operações menores foram ouvidos por trás da porta trancada. Por fim, após o bater de um armário no interior do cômodo, Willett tornou a aparecer – triste, pálido e desalentado, e segurando na mão a cesta coberta que havia buscado no laboratório do andar de cima.

Tinha deixado a janela aberta, e por todo aquele recinto outrora maldito soprava uma brisa de ar puro e salubre que se misturava ao estranho e recente cheiro dos desinfetantes. O antigo painel continuava no lugar de sempre, mas parecia desprovido de malignidade, e erguia-se calmo e opulento como se jamais tivesse ostentado o retrato de Joseph Curwen. A noite se aproximava, porém, dessa vez, as sombras não traziam nenhum medo latente – apenas uma suave melancolia. Quanto ao que havia feito, o médico jamais viria a falar. Para o Sr. Ward, disse apenas: "Eu não posso responder a nenhuma pergunta, mas afirmo que existem diferentes tipos de magia. Fiz uma grande purgação, e as pessoas desta casa vão dormir melhor agora".

7.

Que a "purgação" feita pelo Dr. Willett foi um suplício quase tão devastador quanto as pavorosas andanças pela cripta desaparecida pode ser demonstrada pelo fato de que o velho médico sucumbiu assim que chegou em casa naquela mesma noite. Permaneceu três dias inteiros confinado no quarto, embora mais tarde a criadagem tenha sussurrado alguma coisa sobre a noite de quarta-feira, quando a porta de entrada abriu-se e fechou-se com espantosa delicadeza. A imaginação dos criados, felizmente, é limitada, pois de outra forma poderiam ter-se deixado influenciar por uma nota na edição de quinta-feira do *Evening Bulletin* que dizia o seguinte:

VAMPIROS DO CEMITÉRIO NORTE AGEM MAIS UMA VEZ

Dez meses após o covarde vandalismo perpetrado no jazigo de Weeden no North Burial Ground, um malfeitor noturno foi avistado pela manhã no mesmo cemitério pelo guarda-noturno Robert Hart.

Quando olhou por acaso ao redor por volta das duas horas da madrugada, o Sr. Hart avistou o brilho de uma lamparina ou de lanterna portátil um pouco a noroeste e, ao abrir a porta, deparou com o vulto de um homem delineado contra uma luz elétrica nas proximidades. Lançando-se de imediato a uma perseguição, o guarda-noturno observou o vulto correr depressa em direção à entrada principal do cemitério, ganhar a rua e perder-se em meio às sombras antes que pudesse efetuar a aproximação ou a captura.

Como os primeiros vampiros ladrões de sepultura do ano passado, o intruso não chegou a causar nenhum estrago. Uma parte vazia do jazigo da família Ward mostrava indícios de uma escavação superficial, que, no entanto, não chegava sequer próximo ao tamanho de uma sepultura, e outros jazigos tampouco foram perturbados.

O Sr. Hart conseguiu perceber apenas que o malfeitor era um homem barbado e de pequena estatura, e acredita que os três incidentes tenham uma fonte comum; mesmo assim, os agentes da Segunda Delegacia de Polícia pensam diferente em função da violência observada no segundo incidente, quando um antigo caixão foi removido e teve a lápide destruída mediante o uso da força.

O primeiro incidente, em que a possível tentativa de enterrar alguma coisa viu-se frustrada, ocorreu em março último, e foi atribuído a falsificadores de bebida em busca de um lugar improvável para estocar as mercadorias ilegais. Segundo o sargento Riley, é possível que esse terceiro incidente tenha uma motivação semelhante. Os agentes da Segunda Delegacia de Polícia empenham todos os esforços possíveis na localização e na captura dos malfeitores responsáveis por esses reiterados ultrajes.

Durante toda a quinta-feira o Dr. Willett descansou como se estivesse a se recuperar de algum ocorrido ou a preparar-se para o que pudesse suceder. À tarde, escreveu um bilhete para o Sr. Ward, que foi entregue na manhã seguinte e que levou o atônito pai a uma longa e profunda meditação. O Sr. Ward não fora capaz de se dedicar a nada desde o choque da segunda-feira devido aos impressionantes relatos da sinistra "purgação", mas conseguiu encontrar um lampejo de tranquilidade na carta do médico, apesar do desespero que dava a impressão de prometer e dos mistérios que parecia evocar.

Barnes St., nº 10 Providence, R.I., 12 de abril de 1928.

CARO THEODORE – Sinto que devo ter uma palavra com você antes de fazer o que pretendo fazer amanhã. Disponho-me a terminar o assunto que nos tem ocupado (pois sinto que nenhuma pá haverá de encontrar o monstruoso lugar que conhecemos), mas temo que nada seja capaz de tranquilizá-lo enquanto eu não asseverar de maneira expressa que acredito ter encontrado uma solução definitiva.
Você me conhece desde que era menino, então acho que não teria motivo para desconfiar de mim se eu disser que certos assuntos devem ser relegados à incerteza e ao esquecimento. O melhor a fazer é abandonar todo tipo de especulação acerca do caso de Charles, e é muito importante que você não conte à mãe do garoto nada além do que ela já suspeita. Quando eu o visitar amanhã, Charles terá fugido. Eis tudo o que outras pessoas devem saber. Charles estava louco e fugiu. Você pode fazer revelações suaves e graduais à mãe quando parar de enviar as notas datilográficas em nome do garoto. Eu o aconselharia a encontrar sua esposa em Atlantic City e descansar um pouco. Deus sabe que você precisa descansar após um choque desses, e o mesmo vale para mim. Vou passar uma temporada no Sul para me acalmar e me preparar para o que ainda virá.
Por isso, peço que você não me faça perguntas quando eu o visitar. Pode ser que as coisas deem errado, mas, nesse caso, eu prometo avisá-lo. Não acho que vá acontecer. Não haverá mais nada com o que se preocupar, pois Charles estará a salvo, totalmente a salvo. Agora mesmo está mais seguro do que você pode imaginar. Você não tem mais motivos para temer Allen, ou ainda quem ou o que possa ser esse misterioso personagem. Allen pertence ao passado, assim como o retrato de Joseph

Curwen e, quando eu tocar a campainha da sua porta, você pode ter a certeza de que essa pessoa não existe. O que quer que tenha escrito aquela mensagem em minúsculas nunca mais vai importunar você ou a sua família.

Mas você deve estar pronto para enfrentar a melancolia e preparar a sua esposa para fazer o mesmo. Vejo-me obrigado a dizer, com toda a franqueza, que a fuga de Charles não vai significar a volta do garoto para casa. Charles vem sofrendo com uma moléstia um tanto singular, como você mesmo pode concluir pelas sutis alterações físicas e mentais que o afligiram, e você não deve nutrir a esperança de um dia tornar a vê-lo. À guisa de consolo, saiba que o seu filho nunca foi um demônio ou sequer um louco, mas apenas um garoto ávido, dedicado e curioso levado à ruína pelo amor que nutria em relação ao mistério e ao passado. Charles descobriu coisas que nenhum mortal jamais deveria saber e esquadrinhou o passado de uma forma que ninguém deveria fazer; e uma sombra surgiu do passado a fim de tragá-lo.

Agora chegamos ao ponto em que a sua confiança se faz mais necessária, pois é certo que não há incertezas quanto ao destino de Charles. Daqui a cerca de um ano, digamos, você pode imaginar um relato coeso para o fim se assim desejar, pois o garoto não haverá mais de existir. Você há de erguer uma lápide no jazigo da família no North Burial Ground exatos três metros a oeste da lápide do seu pai, apontada para a mesma direção, para assim marcar o verdadeiro lugar de repouso do seu filho. Não há motivos para temer que o monumento possa marcar o local de qualquer aberração ou monstruosidade. As cinzas no túmulo serão as dos seus ossos e tendões inalterados – terão pertencido ao verdadeiro Charles Dexter Ward, cujo desenvolvimento você acompanhou desde a infância –, o verdadeiro Charles, com a marca escura no quadril e sem a marca das bruxas no peito nem a cicatriz acima da sobrancelha. O Charles que nunca fez nenhum mal, e que terá pago os "melindres" com a própria vida.

Eis tudo. Charles terá fugido, e daqui a um ano você poderá erguer-lhe uma lápide. Não me faça perguntas amanhã. Mas acredite que a honra dessa antiga família permanece imaculada, como sempre esteve em todas as épocas desde o mais remoto passado.

Com os meus profundos sentimentos, e com exortações à fortaleza, à serenidade e à resignação, permaneço sendo

Seu amigo sincero, MARINUS B. WILLETT.

Então, na manhã do dia 13 de abril de 1928, Marinus Bicknell Willett visitou o quarto de Charles Dexter Ward no hospital particular do Dr. Waite em Conanicut Island. O jovem, embora não tentasse evitar o visitante, encontrava-se em um estado de espírito sombrio, e demonstrava pouca disposição para entabular a conversa que Willett obviamente desejava. A nova descoberta feita pelo doutor em relação à cripta e aos monstruosos experimentos conduzidos no local tinha criado uma nova fonte de constrangimento, de maneira que ambos hesitaram após a troca das formalidades obrigatórias. Logo surgiu um novo elemento restritivo enquanto Ward dava a impressão de ler, por trás do semblante impassível do médico, uma terrível obstinação que jamais havia estado lá. O paciente se encolheu, ciente de que desde a última visita havia se operado uma mudança graças à qual o obsequioso médico da família havia cedido o lugar a um vingador impiedoso e implacável.

Ward chegou a empalidecer, e o médico foi o primeiro a tomar a palavra.

— Mais coisas foram encontradas — disse —, e devo avisá-lo de que certas explicações se fazem necessárias.

— Cavando mais uma vez em busca de bichos famintos? — retrucou Ward com uma nota de forte ironia. Não havia dúvidas de que o jovem pretendia manter as bravatas até o fim.

— Não — emendou Willett lentamente —; dessa vez não precisei cavar. Nossos homens vigiaram o Dr. Allen e encontraram os óculos e a barba postiça na casa em Pawtuxet.

— Excelente! — comentou o anfitrião, inquieto, em uma tentativa de insulto espirituoso. — Espero que sirvam melhor do que os óculos e a barba que o senhor está usando nesse instante.

— Serviriam muito bem em você — veio a resposta calma e estudada —, como a bem dizer parecem ter servido.

Quando Willett pronunciou aquelas palavras, foi como se uma nuvem obscurecesse o sol, embora as sombras no assoalho não tivessem sofrido qualquer alteração. Então Ward arriscou:

— Essa é a explicação que tanto se faz necessária? E se uma pessoa julgar conveniente transformar-se em duas de vez em quando?

— Não — respondeu Willett com voz grave. — Mais uma vez você se engana. Um homem que busca a dualidade não me diz respeito, contanto que tenha direito a existir e que tampouco destrua aquilo que o invocou desde o espaço.

Ward teve um violento sobressalto.

— Bem, mas o que descobristes, e o que desejas de mim?

O médico deixou que alguns instantes se passassem antes de responder, como se estivesse a pensar em uma resposta eficaz.

— Descobri — continuou por fim — uma certa coisa em um armário por trás de um antigo painel em que esteve outrora um retrato, e queimei-a e enterrei as cinzas restantes no lugar onde há de ser o túmulo de Charles Dexter Ward.

O paciente insano engasgou-se e saltou da cadeira onde se encontrava sentado.

— Maldito sede! A quem contastes, e quem há de acreditar que seja ele após esses dois meses em que estive vivo? O que pretendeis fazer?

Willett, embora fosse um homem pequeno, investiu-se de uma majestade judicial enquanto acalmava o paciente com um gesto.

— Não contei a ninguém. Não se trata de um caso comum, é uma loucura vinda do tempo e um horror de além das esferas que nenhuma polícia, nenhum tribunal, nenhum advogado e nenhum psiquiatra seria capaz de compreender ou de reparar. Graças a Deus, o destino agraciou-me com a chama da imaginação para que eu não enlouquecesse pensando sobre essa coisa. O senhor não me engana, Joseph Curwen, pois eu sei que essa magia amaldiçoada é verdadeira!

"Eu sei que o senhor urdiu o feitiço que pairou ao redor do tempo e aferrou-se ao seu duplo e descendente; sei que o atraiu rumo ao passado e que o levou a retirá-lo da odiosa sepultura onde o senhor se encontrava; sei que o manteve oculto no laboratório enquanto o senhor estudava as coisas modernas e vagava como um vampiro à noite, e sei que mais tarde apresentou-se de óculos e barba para que ninguém se espantasse com a semelhança blasfema entre ambos; sei o que o senhor resolveu fazer quando o garoto hesitou ante a monstruosa profanação das sepulturas mundo afora, e ante o que o senhor planejava para mais tarde, e sei como o senhor levou o plano a cabo.

"O senhor tirou a barba e os óculos e enganou os guardas ao redor da casa. Acharam que era Charles quem havia entrado e depois acharam que era Charles quem havia saído, quando, na verdade, o senhor o havia estrangulado e ocultado o corpo. Mas o senhor não havia levado em conta a diferença de conteúdo entre as duas mentes. O senhor foi um tolo, Curwen, por achar que uma simples identidade visual seria o bastante! Por que não pensou na maneira de falar, na voz e na caligrafia? No fim não deu certo, como o senhor mesmo pode ver. O senhor conhece melhor do que eu quem ou o que escreveu aquela mensagem em minúsculas, mas aviso que não foi escrita em vão. Existem abominações e blasfêmias que precisam ser aniquiladas, e acredito que o autor daquelas palavras há de se juntar a Orne e a Hutchinson. Uma dessas criaturas, certa vez, escreveu-lhe, dizendo: 'não evoque ninguém que não possa mandar de volta'. O senhor já foi vencido antes, talvez dessa mesma forma, e pode ser que a sua própria magia demoníaca traga-lhe mais uma vez a ruína. Curwen, não podemos interferir com a natureza além de certos limites, e todos os horrores que o senhor urdiu hão de retornar para eliminá-lo."

Naquele ponto, o médico foi interrompido por um grito convulsivo da criatura que tinha diante de si. Acuado, indefeso e ciente de que qualquer demonstração de violência física chamaria uma vintena de enfermeiros em auxílio ao visitante, Joseph Curwen recorreu ao antigo aliado, e assim começou uma série de gestos cabalísticos com os indicadores enquanto a voz profunda e sepulcral, enfim livre da rouquidão fingida, recitou as palavras iniciais de uma terrível fórmula.

"PER ADONAI ELOIM, ADONAI JEHOVA, ADONAI SABAOTH, METRATON..."

Porém, Willett foi mais rápido. No mesmo instante em que os cachorros do pátio começaram a uivar, e no mesmo instante em que um vento gélido soprou da baía, o médico começou a entoar, de maneira solene e compassada, as palavras que desde o início pretendia recitar. Olho por olho, magia por magia, que o desfecho mostre como a lição do abismo foi aprendida! Então, com uma voz clara, Marinus Bicknell Willett começou a segunda fórmula do par cujo primeiro elemento havia conjurado o autor daquelas minúsculas – a críptica invocação cujo cabeçalho era a Cauda do Dragão, signo do nó descendente.

"OGTHROD A'TF GEB'L – EE'H YOG-SOTHOTH 'NGAH'NG AI'Y ZHRO!"

Assim que a primeira palavra deixou os lábios de Willett, a fórmula começada antes pelo interno foi interrompida. Incapaz de falar, o monstro executou gestos frenéticos com os braços até que eles por fim também se detiveram. Quando o terrível nome de Yog-Sothoth foi pronunciado, teve início a horrenda transformação. Não era uma simples dissolução, mas antes uma transformação ou recapitulação; e Willett fechou os olhos para evitar que desfalecesse antes de terminar o encanto.

Porém, não desfaleceu, e aquele homem de séculos blasfemos e segredos proscritos jamais tornou a perturbar o mundo. A loucura, vinda do tempo, desaparecera, e o caso de Charles Dexter Ward havia chegado ao fim. Quando abriu os olhos, antes de sair cambaleando daquele recinto de horror, o Dr. Willett percebeu que o que havia retido na memória não fora em vão. Conforme havia previsto, o emprego de ácidos não foi necessário. Pois, como o amaldiçoado retrato de um ano antes, naquele momento Joseph Curwen jazia espalhado pelo chão como uma fina camada de pó cinza-azulado.

Quer mais do melhor suspense, terror e aventura? Confira nossas outras publicações:

Box *Obras de Edgar Allan Poe*. Três volumes. 356p.

Box *Obras de Edgar Allan Poe*. 426p.

Box *H.P. Lovecraft - Os melhores contos Vol. 1*. 448p.

Box *As grandes histórias de Sherlock Holmes*. 448p.

H.P. Lovecraft. Histórias reunidas. Volume único. 336p.

CHRONOS

editorapandorga.com.br
/editorapandorga
@pandorgaeditora
@editorapandorga